CB005370

Ser como
o rio que
flui

Outros títulos de Paulo Coelho:

O Alquimista
Brida
A bruxa de Portobello
O demônio e a srta. Prym
O diário de um mago
A espiã
Hippie
Maktub
Manual do guerreiro da luz
O Monte Cinco
Na margem do rio Piedra eu sentei e chorei
Onze minutos
O vencedor está só
Veronika decide morrer
O Zahir

"Ó Maria, concebida sem pecado, rogai por nós, que recorremos a Vós." Amém.

1ª reimpressão

pa ra le la

Publicado mediante acordo com Sant Jordi Asociados Agencia Literaria SLU,
Barcelona, Espanha.

A Editora Paralela é uma divisão da Editora Schwarcz S.A.

*Grafia atualizada segundo o Acordo Ortográfico da Língua Portuguesa
de 1990, que entrou em vigor no Brasil em 2009.*

CAPA Alceu Chiesorin Nunes

REVISÃO Nana Rodrigues e Márcia Moura

Dados Internacionais de Catalogação na Publicação (CIP)
(Câmara Brasileira do Livro, SP, Brasil)

Coelho, Paulo
Ser como o rio que flui. / Paulo Coelho. — 1ª ed. — São
Paulo : Paralela, 2019.

ISBN 978-85-8439-152-3

1. Crônicas brasileiras I. Título.

19-31038 CDD-B869.8

Índice para catálogo sistemático:
1. Crônicas : Literatura brasileira B869.8

Cibele Maria Dias – Bibliotecária – CRB-8/9427

[2021]
Todos os direitos desta edição reservados à
EDITORA SCHWARCZ S.A.
Rua Bandeira Paulista, 702, cj. 32
04532-002 — São Paulo — SP
Telefone: (11) 3707-3500
editoraparalela.com.br
atendimentoaoleitor@editoraparalela.com.br
facebook.com/editoraparalela
instagram.com/editoraparalela
twitter.com/editoraparalela

Ser como o rio que flui
Silencioso no meio da noite.
Não temer as trevas da noite.
Se há estrelas no céu, refleti-las.
E se os céus se pejam de nuvens,
Como o rio as nuvens são água,
Refleti-las também sem mágoa
Nas profundidades tranquilas.

MANUEL BANDEIRA

Prefácio

Quando tinha quinze anos, disse para minha mãe:

— Descobri minha vocação. Quero ser um escritor.

— Meu filho — respondeu ela, com um ar triste —, seu pai é um engenheiro. É um homem lógico, razoável, com uma visão precisa do mundo. Você sabe o que é ser um escritor?

— Alguém que escreve livros.

— Seu tio Haroldo, que é médico, também escreve livros, e já publicou alguns. Faça a faculdade de Engenharia, e terá tempo para escrever em seus momentos livres.

— Não, mamãe. Eu quero ser apenas escritor. Não um engenheiro que escreve livros.

— Mas você já conheceu algum escritor? Alguma vez você viu um escritor?

— Nunca. Só em fotografias.

— Então como você quer ser um escritor, sem saber direito o que é isso?

Para poder responder à minha mãe, resolvi fazer uma pesquisa. Eis o que descobri sobre o que era ser um escritor, no início da década de sessenta:

A) Um escritor sempre usa óculos, e não se penteia direito. Passa metade de seu tempo com raiva de tudo, e a outra metade deprimido. Vive em bares, discutindo com outros escritores de óculos e despenteados. Fala difícil. Tem sempre ideias fantásticas para o seu próximo romance, e detesta aquele que acabou de publicar.

B) Um escritor tem o dever e a obrigação de jamais ser compreendido por sua geração — ou nunca chegará a ser considerado um gênio, pois está convencido que nasceu numa época em que a mediocridade impera. Um escritor sempre faz várias revisões e alterações em cada frase que escreve. O vocabulário de um homem comum é composto de três mil palavras; um verdadeiro escritor jamais as utiliza, já que existem outras cento e oitenta e nove mil no dicionário, e ele não é um homem comum.

C) Apenas outros escritores compreendem o que um escritor quer dizer. Mesmo assim ele detesta secretamente os outros escritores — já que estão disputando as mesmas vagas que a história da literatura deixa ao longo dos séculos. Então, o escritor e seus pares disputam o troféu do livro mais complicado: será considerado o melhor aquele que conseguir ser o mais difícil.

D) Um escritor entende de temas cujos nomes são assustadores: semiótica, epistemologia, neoconcretismo. Quando deseja chocar alguém, diz coisas como "Einstein é burro" ou "Tolstói é o palhaço da burguesia". Todos ficam escandalizados, mas passam a repetir para os outros que a teoria da relatividade está errada, e que Tolstói defendia os aristocratas russos.

E) Um escritor, para seduzir uma mulher, diz: "sou escritor", e escreve um poema num guardanapo; funciona sempre.

F) Por causa de sua vasta cultura, um escritor sempre consegue emprego como crítico literário. É nesse momento que ele mostra sua generosidade, escrevendo sobre os livros de seus amigos. Metade da crítica é composta de citações de autores estrangeiros; a outra metade são as tais análises de frases, sempre empregando termos como "o corte epistemológico" ou "a visão integrada num eixo correspondente". Quem lê a crítica comenta: "que sujeito culto". E não compra o livro, porque não vai saber como continuar a leitura quando o corte epistemológico aparecer.

G) Um escritor, quando convidado a depor sobre o que está lendo naquele momento, sempre cita um livro que ninguém ouviu falar.

H) Só existe um livro que desperta a admiração unânime do escritor e seus pares: *Ulisses*, de James Joyce. O escritor nunca fala mal desse livro, mas, quando alguém lhe pergunta do que se trata, ele não consegue explicar direito, deixando dúvidas se realmente o leu. É um absurdo que *Ulisses* jamais seja reeditado, já que todos os escritores o citam como uma obra-prima; talvez seja a estupidez dos editores, deixando passar a oportunidade de ganhar muito dinheiro com um livro que todo mundo leu e gostou.

Munido de todas essas informações, voltei à minha mãe e expliquei exatamente o que era um escritor. Ela ficou um pouco surpresa.

— É mais fácil ser engenheiro — disse ela. — Além do mais, você não usa óculos.

Mas eu já estava despenteado, com meu pacote de Gauloises no bolso, uma peça de teatro debaixo do braço

(*Limites da resistência* que, para minha alegria, um crítico definiu como "o espetáculo mais maluco que já vi"), estudando Hegel, e decidido a ler *Ulisses* de qualquer maneira. Até o dia em que um cantor de rock apareceu, pediu que eu fizesse as letras de suas músicas, me retirou da busca da imortalidade, e me colocou de novo no caminho das pessoas comuns.

Isso me fez percorrer muitos lugares, e trocar mais de países do que de sapatos, como dizia Bertolt Brecht. Nas páginas a seguir, relatos de alguns momentos que vivi, histórias que me contaram, reflexões que fiz enquanto percorria determinada etapa do rio de minha vida.

Estes textos já foram publicados em diversos jornais do mundo, e foram recompilados a pedido dos leitores.

PAULO COELHO

Um dia no moinho

Minha vida, no momento presente, é uma sinfonia composta de três movimentos distintos: "muitas pessoas", "algumas pessoas", e "quase ninguém". Cada um deles dura aproximadamente quatro meses por ano, se misturam com frequência durante o mesmo mês, mas não se confundem.

"Muitas pessoas" são os momentos em que estou em contato com o público, os editores, os jornalistas. "Algumas pessoas" acontece quando vou para o Brasil, encontro meus amigos de sempre, caminho na praia de Copacabana, vou a um ou outro acontecimento social, mas geralmente fico em casa.

Minha intenção hoje, no entanto, é divagar um pouco sobre o movimento "quase ninguém". Neste momento a noite já caiu neste povoado de duzentas pessoas nos Pirineus, cujo nome prefiro manter em segredo, e onde comprei há pouco tempo um antigo moinho transformado em casa. Acordo todas as manhãs com o cantar do galo, tomo meu café e saio para caminhar entre as vacas, os cordeiros, as plantações de milho e de feno. Contemplo as montanhas e — ao contrário do movimento "muitas pessoas" — jamais procuro pensar em quem sou. Não tenho perguntas, nem respostas; vivo por inteiro no momento presente, entendendo que o ano tem quatro estações (sim, pode parecer óbvio, mas às vezes nos esquecemos disso), e eu me transformo como a paisagem ao redor.

Neste momento, não me interessa muito o que acontece no Iraque ou no Afeganistão: como qualquer outra pessoa que vive no interior, as notícias mais importantes são as ligadas à meteorologia. Todos os que habitam a pequena cidade sabem se vai chover, fazer frio, ventar muito, já que isso afeta diretamente suas vidas, seus planos, suas colheitas. Vejo um fazendeiro cuidando do seu campo, nos desejamos "bom dia", discutimos as previsões do tempo, e continuamos a fazer o que estávamos fazendo — ele em seu arado, eu em minha longa caminhada.

Volto, olho a caixa de correio, ali está o jornal da região: há um baile no vilarejo vizinho, uma conferência em um bar de Tarbes — a cidade grande, com seus quarenta mil habitantes —, os bombeiros foram chamados porque uma lixeira foi queimada durante a noite. O tema que mobiliza a região é um grupo acusado de cortar os plátanos de uma estrada rural, porque causaram a morte de um motociclista; esta notícia rende uma página inteira e vários dias de reportagens a respeito do "comando secreto" que está querendo vingar a morte do rapaz, destruindo as árvores.

Deito-me ao lado do regato que corre no meu moinho. Olho os céus sem nuvens neste verão aterrador, com cinco mil mortos apenas na França. Levanto-me e vou praticar *kyudo*, a meditação com arco e flecha, que toma mais uma hora do meu dia. Já é hora de almoçar: faço uma refeição ligeira e de repente noto que lá, em uma das dependências da antiga construção, está um objeto estranho, com tela e teclado, conectado — maravilha das maravilhas — com uma linha de altíssima velocidade, também chamada de DSL. Sei que, no momento em que apertar um botão daquela máquina, o mundo virá ao meu encontro.

Resisto o quanto posso, mas o momento chega, meu dedo toca o comando "ligar", e aqui estou de novo conectado com o mundo, as colunas dos jornais brasileiros, os livros, as entrevistas que precisam ser dadas, as notícias do Iraque, do Afeganistão, os pedidos, o aviso que o bilhete de avião chega amanhã, as decisões a adiar, as decisões a tomar.

Trabalho por várias horas, porque foi o que escolhi, porque é essa a minha lenda pessoal, porque um guerreiro da luz sabe que tem deveres e responsabilidades. Mas no movimento "quase ninguém", tudo o que está na tela do computador é muito distante, da mesma maneira que o moinho parece um sonho quando estou nos movimentos "muitas pessoas" ou "algumas pessoas".

O sol começa a se esconder, o botão é desligado, o mundo volta a ser apenas o campo, o perfume das ervas, o mugido das vacas, a voz do pastor que traz de volta suas ovelhas para o estábulo ao lado do moinho.

Pergunto-me como posso passear em dois mundos tão diferentes em apenas um dia: não tenho resposta, mas sei que isso me dá muito prazer, e estou contente enquanto escrevo estas linhas.

O homem que seguia seus sonhos

Nasci na Casa de Saúde São José, no Rio de Janeiro. Como foi um parto bastante complicado, minha mãe me consagrou ao santo, pedindo que me ajudasse a viver. José passou a ser uma referência para a minha vida, e desde 1987, ano seguinte ao da minha peregrinação a Santiago de Compostela, dou uma festa em sua homenagem, no dia 19 de março. Convido amigos, pessoas trabalhadoras e honestas e, antes do jantar, rezamos por todos aqueles que procuram manter a dignidade no que fazem. Oramos também pelos que se encontram desempregados, sem nenhuma perspectiva para o futuro.

Na pequena introdução que faço antes da prece, costumo lembrar que, das cinco vezes que a palavra "sonho" aparece no Novo Testamento, quatro se referem a José, o carpinteiro. Em todos esses casos, ele está sempre sendo convencido por um anjo a fazer exatamente o contrário do que estava planejando.

O anjo pede que ele não abandone sua mulher, embora ela esteja grávida. Ele podia dizer coisas do tipo "O que os vizinhos vão pensar?". Mas volta para casa, e acredita na palavra revelada.

O anjo o envia para o Egito. E sua resposta podia ter sido: "Mas eu já estou aqui estabelecido como carpinteiro, tenho minha clientela, não posso deixar tudo de lado agora". Entretanto, arruma suas coisas e parte em direção ao desconhecido.

O anjo pede que volte do Egito. E José podia ter de novo pensado: "Logo agora que eu consegui estabilizar de novo minha vida, e que tenho uma família para sustentar?"

Ao contrário do que o senso comum manda, José segue seus sonhos. Sabe que tem um destino a cumprir, que é o destino de quase todos os homens neste planeta: proteger e sustentar sua família. Como milhões de Josés anônimos, ele procura dar conta da tarefa, mesmo tendo de fazer coisas que estão muito além de sua compreensão.

Mais tarde, tanto a mulher como um dos filhos se transformam nas grandes referências do Cristianismo. O terceiro pilar da família, o operário, é lembrado apenas nos presépios de final de ano, ou por aqueles que têm uma devoção especial por ele, como é o meu caso, e como é o caso de Leonardo Boff, para quem escrevi o prefácio de seu livro sobre o carpinteiro.

Reproduzo parte de um texto do escritor Carlos Heitor Cony (espero que seja mesmo dele, porque descobri na internet!):

"Volta e meia estranham que, declarando-me agnóstico, não aceitando a ideia de um deus filosófico, moral ou religioso, seja devoto de alguns santos do nosso calendário tradicional. Deus é um conceito ou uma entidade distante demais para os meus recursos e até mesmo para minhas necessidades. Já os santos, porque foram terrenos, com os mesmos alicerces de barro de que fui feito, merecem mais do que a minha admiração. Merecem mesmo a minha devoção.

São José é um deles. Os Evangelhos não registram uma única palavra sua, somente gestos, e uma referência explícita: *vir justus*. Um homem justo. Como se tratava de um carpinteiro, e não de um juiz, deduz-se que José era acima de tudo um bom. Bom como carpinteiro, bom como esposo, bom como pai de um garoto que dividiria a história do mundo."

Belas palavras de Cony. E eu, muitas vezes, leio aberrações do tipo: "Jesus foi para a Índia aprender com os mestres do Himalaia". Para mim, todo homem pode transformar em sagrada a tarefa que lhe é dada pela vida, e Jesus aprendeu enquanto José, o homem justo, lhe ensinava a fazer mesas, cadeiras, camas.

No meu imaginário, gosto de pensar que a mesa onde o Cristo consagrou o pão e o vinho teria sido feita por José — porque ali estava a mão de um carpinteiro anônimo, que ganhava a vida com o suor do seu rosto e, justamente por causa disso, permitia que os milagres se manifestassem.

O mal quer que o bem seja feito

Conta o poeta persa Rumi que Mo'avia, o primeiro califa da linhagem de Ommiad, estava um dia dormindo em seu palácio, quando foi despertado por um estranho homem.

— Quem é você? — perguntou.

— Sou Lúcifer — foi a resposta.

— E o que deseja aqui?

— Já está na hora de sua prece, e você continua dormindo.

Mo'avia ficou impressionado. Como é que o príncipe das trevas, aquele que deseja sempre a alma dos homens de pouca fé, estava procurando ajudá-lo a cumprir um dever religioso?

Mas Lúcifer explicou:

— Lembre-se de que eu fui criado como um anjo de luz. Apesar de tudo o que aconteceu na minha existência, não posso esquecer minha origem. Um homem pode viajar para Roma ou Jerusalém, mas sempre carrega em seu coração os valores de sua pátria: o mesmo acontece comigo. Ainda amo o Criador, que me alimentou quando era jovem, e me ensinou a fazer o bem. Quando me revoltei contra Ele, não foi porque não O amasse — muito pelo contrário, eu O amava tanto que tive ciúme quando criou Adão. Naquele momento, eu quis desafiar o Senhor, e isso me arruinou; mesmo assim, ainda me lembro das bênçãos que me foram dadas um dia e, talvez, agindo bem, eu possa retornar ao Paraíso.

Mo'avia respondeu:

— Não posso acreditar no que me diz. Você foi responsável pela destruição de muita gente na face da Terra.

— Pois acredite — insistiu Lúcifer. — Só Deus pode construir e destruir, porque é Todo-Poderoso. Foi Ele, ao criar o homem, que colocou nos atributos da vida o desejo, a vingança, a compaixão e o medo. Portanto, quando olhar o mal à sua volta, não me culpe, porque eu sou apenas o espelho daquilo que acontece de ruim.

Sabendo que alguma coisa estava errada, Mo'avia começou a rezar desesperadamente para que Deus o iluminasse. Passou a noite inteira conversando e discutindo com Lúcifer e, apesar dos argumentos brilhantes que ouvia, não se deixava convencer.

Quando o dia já estava amanhecendo, Lúcifer finalmente cedeu, explicando:

— Está bem, você tem razão. Quando ontem à tarde cheguei para despertá-lo de modo que não perdesse a hora da prece, minha intenção não era aproximá-lo da Luz Divina. Eu sabia que, deixando de cumprir sua obrigação, você sentiria uma profunda tristeza, e durante os próximos dias iria rezar com o dobro de fé, pedindo perdão por ter esquecido o ritual correto. Aos olhos de Deus, cada uma destas rezas feita com amor e arrependimento valeria o equivalente a duzentas orações feitas de maneira automática e ordinária. Você terminaria mais purificado e inspirado, Deus o amaria mais, e eu estaria mais longe de sua alma.

Lúcifer desapareceu, e um anjo de luz entrou logo em seguida:

— Nunca se esqueça da lição de hoje — disse para Mo'avia. — Às vezes o Mal se disfarça em emissário do Bem, mas sua intenção escondida é provocar mais destruição.

Naquele dia, e nos dias seguintes, Mo'avia orou com arrependimento, compaixão e fé. Suas preces foram ouvidas mil vezes por Deus.

Preparado para o combate, mas com dúvidas

Estou vestindo uma estranha farda verde, cheia de zíperes, feita de tecido grosso. Minhas mãos estão com luvas, de modo a evitar ferimentos. Carrego comigo uma espécie de lança quase da minha altura: sua extremidade de metal possui um tridente de um lado e uma ponta afiada do outro.

E, diante dos meus olhos, aquilo que será atacado no próximo minuto: meu jardim.

Com o objeto em minha mão, começo a arrancar a erva daninha que se misturou com a grama. Faço isso durante um bom tempo, sabendo que a planta retirada do solo irá morrer antes que se passem dois dias.

De repente, me pergunto: estou agindo certo?

Aquilo que chamo de "erva daninha" é, na verdade, uma tentativa de sobrevivência de determinada espécie, que demorou milhões de anos para ser criada e desenvolvida pela natureza. A flor foi fertilizada à custa de incontáveis insetos, transformou-se em semente, o vento espalhou-a por todos os campos ao redor, e assim — porque não está plantada em apenas um ponto, mas em muitos lugares — suas chances de chegar até a próxima primavera são muito maiores. Se estivesse concentrada em apenas um lugar, estaria sujeita aos animais herbívoros, a uma inundação, um incêndio, ou uma seca.

Mas todo esse esforço de sobrevivência esbarra agora com a ponta de uma lança, que a arranca sem qualquer piedade do solo.

Por que faço isso?

Alguém criou o jardim. Não sei quem foi, porque quando comprei a casa ele já estava ali, em harmonia com as montanhas e com as árvores ao seu redor. Mas o criador deve ter pensado longamente no que faria, plantado com muito cuidado e planejamento (existe uma aleia de arbustos que esconde a casa, onde guardamos lenha), e cuidado dele através de incontáveis invernos e primaveras. Quando me entregou o velho moinho — onde passo alguns meses por ano —, o gramado estava impecável. Agora cabe a mim dar continuidade ao seu trabalho, embora a questão filosófica permaneça: devo respeitar o trabalho do criador, do jardineiro, ou devo aceitar o instinto de sobrevivência de que a natureza dotou esta planta, hoje chamada de "erva daninha"?

Continuo arrancando as plantas indesejáveis, e colocando-as em uma pilha que em breve será queimada. Talvez eu esteja refletindo demais sobre temas que nada têm a ver com reflexões, mas com ações. Entretanto, cada gesto do ser humano é sagrado e cheio de consequências, e isso me força a pensar mais sobre o que estou fazendo.

Por um lado, aquelas plantas têm o direito de se espalhar em qualquer direção. Por outro lado, se eu não as destruir agora, elas acabarão por sufocar a grama. No

Novo Testamento, Jesus fala de arrancar o joio, de modo a não se misturar com o trigo.

Mas — com ou sem o apoio da Bíblia — estou diante do problema concreto que a humanidade enfrenta sempre: até que ponto é possível interferir na natureza? Essa interferência é sempre negativa, ou pode ser positiva às vezes?

Deixo de lado a arma — também conhecida como enxada. Cada golpe significa o final de uma vida, a não existência de uma flor que iria desabrochar na primavera, a arrogância do ser humano que quer moldar a paisagem ao seu redor. Preciso refletir mais, porque estou neste momento exercendo um poder de vida e de morte. A grama parece dizer: "Proteja-me, ela irá me destruir". A erva também fala comigo: "Eu viajei de tão longe para chegar ao seu jardim — por que você quer me matar?".

No final, o que vem ao meu socorro é o texto indiano Bagavad-Gita. Lembro-me da resposta de Krishna ao guerreiro Arjuna, quando este se mostra desalentado antes de uma batalha decisiva, atira suas armas no chão, e diz que não é justo participar de um combate que terminará matando seu irmão. Krishna responde mais ou menos o seguinte: "Você acha que pode matar alguém? Sua mão é Minha mão, e tudo que você está fazendo já estava escrito que seria feito. Ninguém mata, e ninguém morre".

Animado por esta súbita lembrança, empunho de novo a lança, ataco as ervas que não foram convidadas a crescer em meu jardim, e fico com a única lição desta manhã: quando algo indesejável cresce na minha alma, peço a Deus que me dê a mesma coragem para arrancá-lo sem qualquer piedade.

O caminho do tiro com o arco

A importância de repetir a mesma coisa: Uma ação é um pensamento que se manifesta.

Um pequeno gesto nos denuncia, de modo que temos de aperfeiçoar tudo, pensar nos detalhes, aprender a técnica de tal maneira que ela se torne intuitiva. Intuição nada tem a ver com rotina, mas com um estado de espírito que está além da técnica.

Assim, depois de muito praticar, já não pensamos em todos os movimentos necessários: eles passam a fazer parte de nossa própria existência. Mas, para isso, é preciso treinar, repetir.

E, como se não bastasse, é preciso repetir e treinar.

Observe um bom ferreiro trabalhando o aço. Para o olhar destreinado, ele está repetindo as mesmas marteladas.

Mas quem conhece a importância do treinamento sabe que, cada vez que ele levanta o martelo e o faz descer, a intensidade do golpe é diferente. A mão repete o mesmo gesto, mas à medida que se aproxima do ferro, ela compreende se deve tocá-lo com mais dureza ou mais suavidade.

Observe o moinho. Para quem olha suas pás apenas uma vez, ele parece girar com a mesma velocidade, repetindo sempre o mesmo movimento.

Mas aquele que conhece os moinhos sabe que eles estão condicionados ao vento, e mudam de direção sempre que isso é necessário.

A mão do ferreiro foi educada depois que ele repetiu milhares de vezes o gesto de martelar. As pás do moinho são capazes de se mover com velocidade depois que o vento soprou muito, e fez com que suas engrenagens ficassem polidas.

O arqueiro permite que muitas flechas passem longe do seu objetivo, porque sabe que só irá aprender a importância do arco, da postura, da corda, e do alvo, depois que repetir seus gestos milhares de vezes, sem medo de errar.

Até que chega o momento em que não é mais preciso pensar no que está fazendo. A partir daí, o arqueiro passa a ser seu arco, sua flecha, e seu alvo.

Como observar o voo da flecha: A flecha é a intenção que se projeta no espaço.

Uma vez que foi disparada, já não há mais nada que o arqueiro possa fazer, a não ser acompanhar o seu percurso em direção ao alvo. A partir desse momento, a tensão necessária para o tiro já não tem mais razão para existir.

Portanto, o arqueiro mantém os olhos fixos no voo da flecha, mas seu coração repousa, e ele sorri.

Nesse momento, se treinou o bastante, se conseguiu desenvolver seu instinto, se manteve a elegância e a concentração durante todo o processo do disparo, ele sentirá a presença do universo, e verá que sua ação foi justa e merecida.

A técnica faz com que as duas mãos estejam prontas, que a respiração seja precisa, que os olhos possam fixar o alvo. O instinto faz com que o momento do disparo seja perfeito.

Quem passar por perto e vir o arqueiro de braços abertos, com os olhos acompanhando a flecha, irá achar que está parado. Mas os aliados sabem que a mente de quem fez o disparo mudou de dimensão, está agora em contato com todo o universo: ela continua trabalhando, aprendendo tudo o que aquele disparo trouxe de positivo, corrigindo os eventuais erros, aceitando suas qualidades, esperando para ver como o alvo reage ao ser atingido.

Quando o arqueiro estica a corda, pode ver o mundo inteiro dentro do seu arco. Quando acompanha o voo da flecha, esse mundo se aproxima dele, o acaricia, e faz com que tenha a sensação perfeita do dever cumprido.

Um guerreiro da luz, depois que cumpre seu dever e transforma sua intenção em gesto, não precisa temer mais nada: ele fez o que devia. Não se deixou paralisar pelo medo — mesmo que a flecha não atinja o alvo, ele terá outra oportunidade, porque não foi covarde.

A história do lápis

O menino olhava a avó escrevendo uma carta. A certa altura, perguntou:

— Você está escrevendo uma história que aconteceu conosco? E, por acaso, é uma história sobre mim?

A avó parou a carta, sorriu, e comentou com o neto:

— Estou escrevendo sobre você, é verdade. Entretanto, mais importante do que as palavras é o lápis que estou usando. Gostaria que você fosse como ele, quando crescesse.

O menino olhou para o lápis, intrigado, e não viu nada de especial.

— Mas ele é igual a todos os lápis que vi em minha vida!

— Tudo depende do modo como você olha as coisas. Há cinco qualidades nele que, se você conseguir mantê-las, farão de você sempre uma pessoa em paz com o mundo.

"Primeira qualidade: você pode fazer grandes coisas, mas não deve esquecer nunca que existe uma Mão que guia seus passos. Esta mão nós chamamos de Deus, e Ele deve sempre conduzi-lo em direção à Sua vontade.

Segunda qualidade: de vez em quando é preciso parar o que estamos escrevendo, e usar o apontador. Isso faz com que o lápis sofra um pouco, mas, no final, ele estará mais afiado. Portanto, saiba suportar algumas dores, porque elas lhe farão ser uma pessoa melhor.

Terceira qualidade: o lápis sempre permite que usemos uma borracha para apagar aquilo que estava errado. Entenda que corrigir uma coisa que fizemos não é necessariamente algo mau, mas algo importante para nos manter no caminho da justiça.

Quarta qualidade: o que realmente importa no lápis não é a madeira ou sua forma exterior, mas a grafite que está dentro. Portanto, sempre cuide daquilo que acontece dentro de você.

Finalmente, a quinta qualidade do lápis: ele sempre deixa uma marca. Da mesma maneira, saiba que tudo que você fizer na vida irá deixar traços, e procure ser consciente de cada ação."

Manual para subir montanhas

A) **Escolha a montanha que deseja subir**: não se deixe levar pelos comentários de outros, dizendo "aquela é mais bonita", ou "esta é mais fácil". Você irá gastar muita energia e muito entusiasmo para atingir seu objetivo e, portanto, deve ser o único responsável pela escolha e ter certeza do que está fazendo.

B) **Saiba como chegar diante dela**: muitas vezes, a montanha é vista de longe — bela, interessante, cheia de desafios. Mas, quando tentamos nos aproximar, o que acontece? As estradas a circundam, existem florestas entre você e seu objetivo, o que aparece claro no mapa é difícil na vida real. Portanto, tente todos os caminhos, as trilhas, até que um dia você estará em frente ao topo que pretende atingir.

C) **Aprenda com quem já caminhou por ali**: por mais que você se julgue único, sempre alguém teve o mesmo sonho antes, e terminou deixando marcas que podem facilitar a caminhada: lugares onde colocar a corda, picadas, galhos quebrados para facilitar a marcha. A caminhada é sua, a responsabilidade também, mas não se esqueça de que a experiência alheia ajuda muito.

D) **Os perigos, vistos de perto, são controláveis**: quando você começar a subir a montanha dos seus sonhos, preste atenção ao redor. Há despenhadeiros, claro. Há fendas quase imperceptíveis. Há pedras tão polidas pelas tempestades que se tornam escorregadias como gelo. Mas, se você souber onde está colocando cada pé, irá notar as armadilhas, e saberá contorná-las.

E) **A paisagem muda; portanto, aproveite**: claro que é preciso ter um objetivo em mente — chegar ao alto. Mas à medida que se vai subindo, mais coisas podem ser vistas, e não custa nada parar de vez em quando e desfrutar um pouco o panorama ao redor. A cada metro conquistado, você pode ver um pouco mais longe, e aproveite isso para descobrir coisas que ainda não tinha percebido.

F) **Respeite seu corpo**: só consegue subir uma montanha quem dá ao corpo a atenção que ele merece. Você tem todo o tempo que a vida lhe dá; portanto, caminhe sem exigir o que não pode ser dado. Se andar depressa demais, irá ficar cansado e desistir no meio. Se andar muito devagar, a noite pode descer e você estará perdido. Aproveite a paisagem, desfrute a água fresca dos mananciais e as frutas que a natureza generosamente lhe dá, mas continue andando.

G) **Respeite sua alma**: não fique repetindo o tempo todo "eu vou conseguir". Sua alma já sabe disso. O que ela precisa é usar a longa caminhada para poder crescer, estender-se pelo horizonte, atingir o céu. Uma obsessão não ajuda em nada na busca do seu objetivo, e acaba por tirar o prazer da escalada. Mas atenção: tampouco fique repetindo "é mais difícil do que eu pensava", porque isso o fará perder a força interior.

H) **Prepare-se para caminhar um quilômetro a mais**: o percurso até o topo da montanha é sempre maior do que o que você está pensando. Não se engane, há de chegar o momento em que o que parecia perto ainda está muito longe. Mas, como você se dispôs a ir além, isso não chega a ser um problema.

I) **Alegre-se quando chegar ao cume**: chore, bata palmas, grite aos quatro cantos que conseguiu, deixe que o vento lá em cima (porque lá em cima está sempre ventando) purifique sua mente, refresque seus pés suados e cansados, abra seus olhos, limpe a poeira do seu coração. Que bom; o que antes era apenas um sonho, uma visão distante, agora é parte da sua vida, você conseguiu.

J) **Faça uma promessa**: aproveite que você descobriu uma força que nem sequer conhecia, e diga para si mesmo que a partir de agora irá usá-la pelo resto de seus dias. De preferência, prometa também descobrir outra montanha, e partir para uma nova aventura.

K) **Conte sua história**: sim, conte sua história. Dê seu exemplo. Diga a todos que é possível, e outras pessoas então sentirão coragem para enfrentar suas próprias montanhas.

Da importância do diploma

O meu antigo moinho, na pequena aldeia dos Pirineus, tem uma fileira de árvores que o separa da fazenda ao lado. Outro dia, o vizinho apareceu: devia ter aproximadamente setenta anos. Volta e meia eu o via trabalhando com sua mulher na lavoura, e pensava que já era hora de descansarem.

O vizinho, embora muito simpático, diz que as folhas secas de minhas árvores caíam em seu telhado, e que eu precisava cortá-las.

Fiquei muito chocado: como é que uma pessoa que passou sua vida inteira em contato com a natureza quer que eu destrua algo que custou tanto para crescer, simplesmente porque, em dez anos, isso pode causar um problema nas telhas?

Convido-o para um café. Digo que me responsabilizo; que, se algum dia essas folhas secas (que serão varridas pelo vento e pelo verão) provocarem qualquer dano, eu me encarrego de mandar construir um novo teto. O vizinho diz que isso não interessa: ele quer que corte as árvores. Eu me irrito um pouco: digo que prefiro comprar a fazenda dele.

— Minha terra não está à venda — responde.

— Mas com esse dinheiro você poderia comprar uma excelente casa na cidade, viver ali pelo resto de seus dias com sua mulher, sem enfrentar invernos rigorosos e colheitas perdidas.

— A fazenda não está à venda. Nasci, cresci aqui, e estou muito velho para mudar.

Ele sugere que um perito da cidade venha, avalie o caso, e decida — assim nenhum de nós precisa se irritar com o outro. Afinal de contas, somos vizinhos.

Quando sai, minha primeira reação é culpá-lo de insensibilidade e desrespeito com a Mãe Terra. Depois, fico intrigado: por que não aceitou vender a terra? E, antes que o dia termine, entendo que sua vida tem apenas uma história, e meu vizinho não quer mudá-la. Ir para a cidade significa também mergulhar em um mundo desconhecido, com outros valores, que talvez se julgue muito velho para aprender.

Acontece apenas com meu vizinho? Não. Acho que acontece com todo mundo — às vezes estamos tão apegados à nossa maneira de viver, que recusamos uma grande oportunidade porque não sabemos como utilizá-la. No caso dele, sua fazenda e sua aldeia são os únicos lugares que conhece, e não vale a pena arriscar. No caso das pessoas que vivem na cidade, elas acreditam que é preciso ter um diploma de universidade, casar, ter filhos, fazer com que seu filho tenha também um diploma, e daí por diante. Ninguém se pergunta: "Será que posso fazer algo diferente?".

Lembro-me de que meu barbeiro trabalhava dia e noite para que sua filha pudesse acabar o curso de Sociologia. Ela conseguiu terminar a faculdade e, depois de bater em muitas portas, conseguiu trabalhar como secretária em uma firma de cimento. Mesmo assim, meu barbeiro dizia, orgulhoso: "Minha filha tem um diploma".

A maioria de meus amigos, e dos filhos dos meus amigos, também tem um diploma. Isso não significa que conseguiram trabalhar no que desejavam — muito pelo contrário, entraram e saíram de uma universidade porque alguém, em uma época em que as universidades eram importantes, dizia que uma pessoa para subir na vida precisava ter um diploma. E assim o mundo deixou de ter excelentes jardineiros, padeiros, antiquários, escultores, escritores. Talvez seja a hora de rever um pouco isso: médicos, engenheiros, cientistas, advogados, precisam fazer um curso superior.

Mas será que todo mundo precisa? Deixo que os versos de Robert Frost deem a resposta:

Diante de mim havia duas estradas
Eu escolhi a estrada menos percorrida
E isso fez toda a diferença.

P.S. Para terminar a história do vizinho: o perito veio e, para minha surpresa, mostrou uma lei francesa que determina que qualquer árvore deve estar a uma distância mínima de três metros da propriedade alheia. As minhas estão a dois metros, e terei de cortá-las.

Em um bar de Tóquio

O jornalista japonês faz a pergunta de sempre:

— E quais são seus escritores favoritos?

Eu dou a resposta de sempre:

— Jorge Amado, Jorge Luis Borges, William Blake e Henry Miller.

A tradutora me olha espantada:

— Henry Miller?

Mas logo se dá conta que seu papel não é fazer perguntas, e continua seu trabalho. No final da entrevista, quero saber por que ficou tão surpresa com a resposta. Digo que talvez Henry Miller não seja um escritor "politicamente correto", mas foi alguém que me abriu um mundo gigantesco — seus livros têm uma energia vital que raramente podemos encontrar na literatura contemporânea.

— Não estou criticando Henry Miller; sou também sua fã — responde ela. — Você sabia que foi casado com uma japonesa?

Sim, claro: não tenho vergonha de ser fanático por alguém, e procurar saber tudo de sua vida. Fui a uma feira de livros apenas para conhecer Jorge Amado, viajei quarenta e oito horas de ônibus para encontrar-me com Borges (o que terminou não acontecendo por minha culpa: quando o vi, fiquei paralisado e não disse nada), toquei a campainha da porta de John Lennon em Nova York (o porteiro pediu que deixasse uma carta explicando o porquê da visita, disse que eventualmente Lennon telefonaria, o que jamais aconteceu). Tinha planos de ir a Big Sur ver Henry Miller, mas ele morreu antes que conseguisse dinheiro para a viagem.

— A japonesa chama-se Hoki — respondo orgulhoso. — Sei também que em Tóquio existe um museu dedicado às aquarelas de Miller.

— Você deseja encontrá-la hoje à noite?

Mas que pergunta! Claro que desejo estar perto de alguém que conviveu com um de meus ídolos. Imagino que deva receber visitas do mundo inteiro, pedidos de entrevista, afinal, ficaram quase dez anos juntos. Não será muito difícil pedir que gaste seu tempo com um simples fã? Mas se a tradutora diz que isso é possível, melhor confiar — japoneses sempre cumprem a palavra dada.

Aguardo com ansiedade o resto do dia. Entramos em um táxi, e tudo começa a parecer estranho. Paramos em uma rua onde o sol nunca deve bater, pois um viaduto passa por cima. A tradutora aponta um bar de segunda categoria no segundo andar de um prédio caindo aos pedaços.

Subimos as escadas, entramos no bar completamente vazio, e ali está Hoki Miller.

Para esconder minha surpresa, tento exagerar meu entusiasmo por seu marido. Ela me leva a uma sala dos fundos, onde criou um pequeno museu — algumas fotos, duas ou três aquarelas assinadas, um livro com dedicatória, e nada mais. Conta-me que o conheceu quando fazia mestrado em Los Angeles e, para sustentar-se, tocava piano em um restaurante, cantando músicas francesas (em japonês). Miller foi jantar ali, adorou as canções (tinha passado em Paris grande parte de sua vida), saíram algumas vezes, ele a pediu em casamento.

Vejo que no bar onde estou tem um piano — sinto-me como se estivesse voltando ao passado, ao dia em que os dois se encontraram. Ela me conta coisas deliciosas a respeito da vida em comum, dos problemas decorrentes da diferença de idade entre os dois (Miller tinha mais de cinquenta anos, Hoki não tinha completado vinte), do tempo que passaram juntos. Explica que os herdeiros de outros casamentos ficaram com tudo, inclusive os direitos autorais dos livros — mas isso não tem importância; o que ela viveu está além da compensação financeira.

Peço que toque a mesma música que chamou a atenção de Miller, muitos anos atrás. Ela faz isso com lágrimas nos olhos, e canta "Folhas mortas" (*Feuilles mortes*).

Eu e a tradutora também ficamos comovidos. O bar, o piano, a voz da japonesa ecoando nas paredes vazias, sem se importar com a glória das ex-mulheres, com os rios de dinheiro que os livros de Miller devem gerar, com a fama mundial que podia desfrutar agora.

"Não valia a pena lutar por herança: o amor foi o suficiente", diz no final, entendendo o que sentíamos. Sim, pela completa ausência de amargura ou rancor, eu entendo que o amor foi suficiente.

Da importância do olhar

No início Theo Wierema era apenas um sujeito insistente. Durante cinco anos enviava religiosamente um convite para o meu escritório em Barcelona, convidando-me para uma palestra em Haia, na Holanda.

Durante cinco anos meu escritório respondia invariavelmente que a agenda estava completa. Na verdade, nem sempre a agenda está completa; no entanto, um escritor não é necessariamente alguém que consiga falar bem em público. Além do mais, tudo que preciso dizer está nos livros e colunas que escrevo — por isso, sempre procuro evitar conferências.

Theo descobriu que eu iria gravar um programa para um canal de TV na Holanda. Quando desci para as filmagens, ele estava me esperando no saguão do hotel. Apresentou-se e pediu para acompanhar-me, dizendo:

— Não sou uma pessoa incapaz de ouvir "não". Apenas acredito que estou tentando o meu objetivo da maneira errada.

Há que lutar pelos sonhos, mas há que saber também que, quando certos caminhos se mostram impossíveis, é melhor guardar suas energias para percorrer outras estradas. Podia simplesmente dizer "não" (já disse e já ouvi várias vezes essa palavra), mas resolvi tentar algo mais diplomático: colocar condições impossíveis de serem cumpridas.

Disse que daria a conferência de graça, mas o ingresso não podia ultrapassar dois euros, e a sala teria de ter no máximo duzentas pessoas.

Theo concordou.

— Você vai gastar mais do que vai ganhar — alertei. — Pelas minhas contas, só o bilhete de avião e o hotel custam o triplo do que receberá se conseguir lotar a casa. Além disso, existem custos de divulgação, aluguel do local...

Theo me interrompeu, dizendo que nada disso tinha importância: estava fazendo isso por causa do que assistia em sua profissão.

— Organizo eventos porque preciso continuar acreditando que o ser humano está em busca de um mundo melhor. Preciso dar minha contribuição para que isso seja possível.

Qual era a sua profissão?

— Vendo igrejas.

E continuou, para meu espanto:

— Sou encarregado pelo Vaticano para selecionar compradores, já que há mais igrejas do que fiéis na Holanda. E como já tivemos péssimas experiências no passado, vendo lugares sagrados se transformarem em boates, prédios de condomínio, butiques, e até mesmo sex shops, o sistema de venda mudou. O projeto tem de ser aprovado pela comunidade, e o comprador tem de dizer o que fará do imóvel: aceitamos geralmente apenas as propostas que incluem um centro cultural, uma instituição de caridade, ou um museu. E o que tem isso a ver com sua conferência, e as outras que estou tentando organizar? As pessoas não estão mais se encontrando. Quando não se encontram, não conseguem crescer.

Olhando-me fixamente, concluiu:

— Encontros. Meu erro com você foi justamente esse. Ao invés de ficar mandando correspondência eletrônica, eu devia ter logo mostrado que sou feito de carne e osso. Quando não consegui receber resposta de determinado político, fui bater à sua porta, e ele me disse: "Se você quiser alguma coisa, precisa antes mostrar seus olhos". Desde então, tenho feito isso, e só tenho colhido bons resultados. Podemos ter todos os meios de comunicação do mundo, mas nada, absolutamente nada, substitui o olhar do ser humano.

Claro que terminei aceitando a proposta.

P.S. Quando fui a Haia para a conferência, sabendo que minha mulher, artista plástica, sempre desejou criar um centro cultural, pedi para ver algumas das igrejas à venda. Perguntei o preço de uma que normalmente abrigava quinhentos paroquianos aos domingos: custava € 1 (UM euro!), embora os gastos de manutenção pudessem atingir patamares proibitivos.

Gengis Khan e seu falcão

Em recente visita ao Cazaquistão, na Ásia Central, tive a oportunidade de acompanhar caçadores que usam o falcão como arma. Não quero entrar aqui no mérito de discutir a palavra "caçada"; apenas dizer que, neste caso, é a natureza cumprindo o seu ciclo.

Eu estava sem intérprete, e o que poderia ser um problema terminou como uma bênção. Impedido de conversar com eles, prestava mais atenção ao que faziam: vi nossa pequena comitiva parar, o homem com o falcão no braço distanciar-se um pouco, retirar a pequena viseira de prata da cabeça da ave. Não sei por que decidiu parar ali, e não tinha como perguntar.

A ave levantou voo, traçou alguns círculos no ar e, depois, em um bote certeiro, desceu em direção à ravina, e não se moveu mais. Chegamos perto, e uma raposa estava presa em suas garras. A mesma cena ocorreu mais uma vez, durante aquela manhã.

De volta à aldeia, encontrei-me com as pessoas que me esperavam, e perguntei como é que conseguiam domesticar o falcão para fazer tudo aquilo que vi — inclusive ficar docilmente no braço de seu dono (e no meu também; colocaram-me umas braçadeiras de couro, e pude ver de perto suas garras afiadas).

Pergunta inútil. Ninguém sabe explicar: dizem que essa arte passa de geração a geração, o pai ensina para o filho, e assim por diante. Mas ficarão para sempre gravados em minhas retinas as montanhas nevadas ao fundo, a silhueta do cavalo e o cavaleiro, o falcão saindo do seu braço, e o bote certeiro.

Fica também uma lenda que uma das pessoas me contou, enquanto almoçávamos:

"Certa manhã, o guerreiro mongol Gengis Khan e sua corte saíram para caçar. Enquanto seus companheiros levavam flechas e arcos, Gengis Khan carregava seu falcão favorito no braço — que era melhor e mais preciso que qualquer flecha, porque podia subir aos céus e ver tudo aquilo que o ser humano não consegue ver.

Entretanto, apesar de todo o entusiasmo do grupo, não conseguiram encontrar nada. Decepcionado, Gengis Khan voltou para seu acampamento — mas, para não descarregar sua frustração em seus companheiros, separou-se da comitiva e resolveu caminhar sozinho.

Tinham permanecido na floresta mais tempo que o esperado, e Khan estava morto de cansaço e de sede. Por causa do calor do verão, os riachos estavam secos, não conseguia encontrar nada para beber até que — milagre! — viu um fio de água descendo de um rochedo à sua frente.

Na mesma hora, retirou o falcão do seu braço, pegou o pequeno cálice de prata que sempre carregava consigo, demorou um longo tempo para enchê-lo e, quando estava prestes a levá-lo aos lábios, o falcão levantou voo e arrancou o copo de suas mãos, atirando-o longe.

Gengis Khan ficou furioso, mas era seu animal favorito, talvez estivesse também com sede. Apanhou o cálice, limpou a poeira, e tornou a enchê-lo. Com o copo pela metade, o falcão de novo atacou-o, derramando o líquido.

Gengis Khan adorava seu animal, mas sabia que não podia deixar-se desrespeitar em nenhuma circunstância, já que alguém podia estar assistindo à cena de longe e, mais tarde, contar aos seus guerreiros que o grande conquistador era incapaz de domar uma simples ave.

Desta vez, tirou a espada da cintura, pegou o cálice, recomeçou a enchê-lo — mantendo um olho na fonte e outro no falcão. Assim que viu ter água suficiente, e quando estava pronto para beber, o falcão de novo levantou voo, e veio em sua direção. Khan, em um golpe certeiro, atravessou o seu peito.

Mas o fio de água havia secado. Decidido a beber de qualquer maneira, subiu o rochedo em busca da fonte. Para sua surpresa, havia realmente uma poça d'água e, no meio dela, morta, uma das serpentes mais venenosas da região. Se tivesse bebido a água, já não estaria mais no mundo dos vivos.

Khan voltou ao acampamento com o falcão morto em seus braços. Mandou fazer uma reprodução em ouro da ave, e gravou em uma das suas asas:

'Mesmo quando um amigo faz algo de que você não gosta, ele continua sendo seu amigo'.

Na outra asa, mandou escrever:

'Qualquer ação motivada pela fúria é uma ação condenada ao fracasso'."

Olhando o jardim alheio

"Dai ao tolo mil inteligências, e ele não quererá senão a tua", diz o provérbio árabe. Começamos a plantar o jardim da nossa vida e — quando olhamos para o lado — reparamos que o vizinho está ali, espiando. Ele é incapaz de fazer qualquer coisa, mas gosta de dar palpites sobre como semeamos nossas ações, plantamos nossos pensamentos, regamos nossas conquistas.

Se dermos atenção ao que ele está dizendo, terminamos trabalhando para ele, e o jardim de nossa vida será ideia do vizinho. Terminaremos esquecendo a terra cultivada com tanto suor, fertilizada por tantas bênçãos. Esqueceremos que cada centímetro de terra tem seus mistérios, e que só a mão paciente do jardineiro é capaz de decifrar. Não vamos mais prestar atenção ao sol, à chuva, e às estações — para ficarmos concentrados apenas naquela cabeça que nos espia por cima da cerca.

O tolo que adora dar palpites sobre o nosso jardim jamais cuida de suas plantas.

A caixa de Pandora

Na mesma manhã, três sinais vindos de continentes diversos: um correio eletrônico do jornalista Lauro Jardim, pedindo para confirmar alguns dados sobre uma nota a meu respeito, e mencionando a situação na Rocinha, Rio de Janeiro. Um telefonema da minha mulher, que acaba de desembarcar na França: viajara com um casal de amigos franceses para mostrar nosso país, e os dois terminaram assustados, decepcionados. Finalmente, o jornalista que vem me entrevistar para uma televisão russa:

— É verdade que no seu país morreram mais de meio milhão de pessoas assassinadas, entre 1980 e 2000?

— Claro que não é verdade — respondo.

Mas é: ele me mostra dados de "um instituto brasileiro" (na verdade, o IBGE).

Eu fico calado. A violência em meu país atravessa os oceanos, as montanhas, e vem até este lugar na Ásia Central. O que dizer?

Dizer não basta, pois as palavras que não se transformam em ação "trazem a peste", como dizia William Blake. Tenho tentado fazer a minha parte: criei meu instituto, e, junto com duas pessoas heroicas, Isabella e Yolanda Maltarolli, tentamos dar educação, carinho, amor a trezentas e sessenta crianças da Favela Pavão-Pavãozinho. Sei que neste momento existem milhares de brasileiros fazendo muito mais, trabalhando em silêncio, sem ajuda oficial, sem apoio privado, apenas para não se deixarem dominar pelo pior dos inimigos: a desesperança.

Em algum momento, achei que, se cada um fizesse sua parte, as coisas mudariam. Mas nesta noite, enquanto contemplo as montanhas geladas na fronteira com a China, tenho dúvidas. Talvez, mesmo com cada um fazendo sua parte, ainda é verdade o ditado que aprendi quando criança: "Contra a força não há argumento".

Olho de novo as montanhas, iluminadas pela lua. Será mesmo que contra a força não há argumento? Como todos os brasileiros, tentei, lutei, me esforcei para acreditar que a situação do meu país iria melhorar um dia, mas, a cada ano que passa, as coisas parecem mais complicadas, independentemente do governante, do partido, dos planos econômicos, ou da ausência dos mesmos.

Violência eu já vi nos quatro cantos do mundo. Lembro-me de uma vez, no Líbano, logo depois da guerra devastadora, em que eu passeava pelas ruínas de Beirute com uma amiga, Söula Saad. Ela me contava que sua cidade já tinha sido destruída sete vezes. Perguntei, em tom de brincadeira, por que não desistiam de reconstruir, e se mudavam para outro lugar. "Porque é nossa cidade", respondeu. "Porque o homem que não honra a terra onde estão enterrados seus ancestrais estará amaldiçoado para sempre."

O ser humano que não honra sua terra não honra a si mesmo. Em um dos clássicos mitos gregos da criação, um dos deuses, furioso com o fato de Prometeu roubar o fogo, e com isso dar independência ao homem, envia Pandora para casar-se com seu irmão, Epimeteu. Pandora traz consigo uma caixa, a qual foi proibida de abrir. Entretanto, da mesma maneira que Eva, no mito cristão, sua curiosidade é mais forte: levanta a tampa para ver o que contém e, nesse momento, todos os males do mundo saem dali, e se espalham pela Terra.

Apenas uma coisa fica lá dentro: a Esperança.

Então, apesar de tudo dizer o contrário, apesar de toda a minha tristeza, da minha sensação de impotência, apesar de estar neste momento quase convencido de que nada irá melhorar, eu não posso perder a única coisa que me mantém vivo: a esperança — essa palavra sempre tão ironizada pelos pseudointelectuais, que a consideram um sinônimo de "enganar alguém". Essa palavra tão manipulada pelos governos, que prometem sabendo que não vão cumprir, e dilaceram ainda mais o coração das pessoas. Essa palavra muitas vezes está conosco de manhã, é ferida no decorrer do dia, morre ao anoitecer, mas ressuscita com a aurora.

Sim, existe o provérbio: "Contra a força não há argumento".

Mas existe também o provérbio: "Enquanto há vida, há esperança". E eu fico com ele, enquanto olho as montanhas nevadas na fronteira com a China.

Como o todo pode estar em um pedaço

Reunião na casa de um pintor paulista que vive em Nova York. Conversamos sobre anjos e sobre alquimia. Em determinado momento, tento explicar a outros convidados a ideia alquímica de que cada um de nós contém dentro de si o Universo inteiro — e é responsável por ele.

Luto com as palavras, mas não consigo uma boa imagem; o pintor, que está escutando calado, pede para que todos olhem pela janela do seu estúdio.

— O que estão vendo?

— Uma rua do Village — responde alguém.

O pintor cola um papel no vidro, de modo que a rua não possa mais ser vista, e, com um canivete, faz um pequeno quadrado no papel.

— E se alguém olhar por aqui, o que verá?

— A mesma rua — diz um outro convidado.

O pintor faz vários quadrados no papel.

— Assim como cada buraquinho neste papel contém a mesma rua, cada um de nós contém o mesmo Universo — diz ele.

E todos os presentes batem palmas pela bela imagem encontrada.

A música que vinha da capela

No dia do meu aniversário, o Universo me deu um presente que gostaria de compartilhar com meus leitores.

No meio de uma floresta perto de pequena cidade de Azereix, no sudoeste da França, existe uma pequena colina coberta de árvores. Com a temperatura beirando os 40°C, em um verão com quase cinco mil mortos nos hospitais por causa do calor, olhando os campos de milho já completamente destruídos pela seca, não temos muita vontade de caminhar. Mesmo assim, digo para minha mulher:

— Certa vez, depois de te deixar no aeroporto, resolvi passear por esta floresta. Achei o caminho muito bonito, você não quer conhecer?

Christina olha uma mancha branca no meio das árvores, e pergunta o que é.

— Uma pequena ermida.

Digo que o caminho passa por lá, mas, na única vez em que estive ali, ela estava fechada. Habituados como estamos com as montanhas e campos, sabemos que Deus está por todas as partes, não é necessário entrar em uma construção feita pelo homem para poder encontrá-Lo. Muitas vezes, durante nossas longas caminhadas, costumamos rezar em silêncio, escutando a voz da natureza, e entendendo que o mundo invisível sempre se manifesta no mundo visível. Depois de meia hora de subida, a ermida aparece no meio do bosque, e surgem as perguntas de sempre: Quem a construiu? Por quê? A que santo ou santa é dedicada?

E à medida que nos aproximamos, ouvimos uma música e uma voz que parecem encher de alegria o ar ao nosso redor. "Da outra vez em que estive aqui não existiam estes alto-falantes", penso, achando estranho o fato de alguém colocar música para atrair visitantes em uma trilha raramente percorrida.

Mas, ao contrário do que aconteceu na minha caminhada anterior, a porta está aberta. Entramos, e parece que estamos em um outro mundo: a capela iluminada pela luz da manhã, uma imagem da Imaculada Conceição no altar, três fileiras de bancos e, em um canto, numa espécie de êxtase, uma jovem de aproximadamente vinte anos de idade, tocando seu violão e cantando com os olhos fixos na imagem diante dela.

Eu acendo as três velas que costumo acender quando entro pela primeira vez em uma igreja (para mim, para os meus amigos e leitores, e para o meu trabalho). Em seguida, olho para trás: a menina nota nossa presença, sorri, e continua a tocar.

A sensação do Paraíso, então, parece descer dos céus. Como se entendesse o que se passa no meu coração, ela combina música com silêncio, e de vez em quando faz uma prece.

E eu tenho a consciência de que estou vivendo um momento inesquecível na minha vida — esta consciência que muitas vezes só conseguimos ter depois que o momento mágico já passou. Estou ali por inteiro, sem passado, sem futuro, apenas vivendo aquela manhã, aquela música, aquela doçura, a prece inesperada. Entro em uma espécie de adoração, de êxtase, de gratidão por estar vivo. Depois de muitas lágrimas e do que me parece uma eternidade, a menina faz uma pausa, eu e minha mulher nos levantamos, agradecemos, e digo que gostaria de lhe enviar um presente por ter enchido de paz minha alma. Ela diz que sempre vem àquele lugar todas as manhãs, e essa é sua maneira de rezar. Eu insisto com a história do presente, ela hesita, mas termina me dando o endereço de um convento.

No dia seguinte lhe envio um de meus livros, e pouco depois recebo sua resposta, na qual comenta que saiu dali naquele dia com a alma inundada de alegria, porque o casal que havia entrado participara da adoração e do milagre da vida.

Na simplicidade daquela pequena capela, na voz da menina, na luz da manhã que tudo inundava, mais uma vez entendi que a grandeza de Deus sempre se mostra através das coisas simples. Se algum de meus leitores algum dia passar pela pequena cidade de Azereix, e vir uma ermida no meio da floresta, caminhe até lá. Se for de manhã, uma jovem sozinha estará louvando a Criação com sua música.

Seu nome é Claudia Cavegir, e o endereço é Communauté Notre-Dame de L'Aurore, 63850 — Ossun, França. Com toda certeza ela ficaria muito contente se recebesse um cartão-postal.

A Piscina do Diabo

Estou olhando uma bela piscina natural perto do vilarejo de Babinda, na Austrália. Um jovem índio se aproxima.

— Cuidado para não escorregar — diz ele.

O pequeno lago está circundado por rochas, mas são aparentemente seguras, e é possível caminhar por elas.

— Este lugar se chama Piscina do Diabo — continua o rapaz. — Muitos anos atrás, Oolona, uma bela índia casada com um guerreiro de Babinda, apaixonou-se por outro homem. Fugiram para estas montanhas, mas o marido conseguiu alcançá-los. O amante escapou, enquanto Oolona era assassinada aqui, nestas águas.

"Desde então, Oolona confunde todo homem que se aproxima com seu amor perdido, e o mata em seus braços de água."

Mais tarde, pergunto ao dono do pequeno hotel sobre a Piscina do Diabo.

— Pode ser superstição — comenta ele. — Mas o fato é que onze turistas morreram ali nestes dez anos, e todos eram homens.

O morto que vestia pijamas

Leio em um portal de notícias na internet: no dia 10 de junho de 2004, foi encontrado na cidade de Tóquio um morto vestido de pijamas, ou:

Até aí, tudo bem; penso que a maioria das pessoas que morrem usando pijamas:

A) morreram dormindo, o que é uma bênção;

B) estavam junto de seus familiares, ou em um leito de hospital — a morte não chegou de repente, todos tiveram tempo de se acostumar com "a indesejada das gentes", como a chamava o poeta brasileiro Manuel Bandeira.

A notícia continua: quando ele faleceu, estava em seu quarto. Eliminada portanto a hipótese do hospital, ficamos apenas com a possibilidade de que ele tenha morrido dormindo, sem sofrer, sem mesmo dar-se conta de que não iria ver a luz do dia seguinte.

Mas resta uma possibilidade: assalto seguido de morte.

Quem conhece Tóquio sabe que a gigantesca cidade é ao mesmo tempo um dos lugares mais seguros do mundo. Lembro-me de certa vez parar para comer com meus editores antes de seguir viagem ao interior do Japão — todas as nossas malas estavam à vista, no banco de trás do carro. Imediatamente eu disse que era muito perigoso, com toda certeza alguém iria passar, ver aquilo, e desaparecer com nossas roupas, documentos etc. Meu editor sorriu e disse que não me preocupasse — não conhecia nenhum caso semelhante em seus muitos anos de vida (efetivamente, nada aconteceu com nossas malas, o que, de qualquer forma, não impediu que eu permanecesse tenso durante todo o jantar).

Mas voltemos ao nosso morto de pijamas: não havia qualquer sinal de luta, violência ou coisa parecida. Um oficial da Polícia Metropolitana, em entrevista ao jornal, afirmava que, com quase toda certeza, ele morrera de algum ataque súbito do coração. Portanto, descartamos também a hipótese de um homicídio.

O cadáver fora descoberto por empregados de uma empresa de construção, no segundo andar de um prédio, em um conjunto habitacional que estava prestes a ser demolido. Tudo nos leva a pensar que nosso morto de pijamas, na impossibilidade de encontrar algum lugar para viver em um dos lugares mais densamente povoados e mais caros do mundo, decidira simplesmente instalar-se onde não precisava pagar aluguel.

E então chega a parte trágica da história: nosso morto era apenas um esqueleto vestido com pijamas. Ao seu lado, havia um jornal aberto, datado de 20 de fevereiro de 1984. Em uma mesa próxima, a folhinha marcava o mesmo dia.

Ou seja: estava ali havia vinte anos.

E ninguém dera por sua falta.

O homem foi identificado como um ex-funcionário da companhia que construíra o conjunto habitacional, para onde se mudara no início dos anos oitenta, logo depois de se divorciar. Tinha pouco mais de cinquenta anos no dia em que estava lendo o jornal e, de repente, deixou este mundo.

Sua ex-mulher jamais o procurou. Foram até a empresa onde ele trabalhava, descobriram que havia pedido falência logo depois de completar a obra, já que nenhum apartamento foi vendido, e, por isso, não estranharam o fato do homem não aparecer para suas atividades diárias. Procuraram seus amigos, que atribuíram seu desaparecimento ao fato de ter pedido algum dinheiro emprestado, e não ter como pagar.

A notícia termina dizendo que os restos mortais foram entregues à ex-esposa. Eu terminei de ler o artigo, e fiquei pensando nesta frase final: a ex-esposa ainda estava viva e, mesmo assim, durante vinte anos, jamais procurou o marido. O que deve ter passado por sua cabeça? Que ele já não a amava mais, que tinha decidido afastá-la para sempre de sua vida. Que havia encontrado outra mulher, e desaparecido sem deixar vestígios. Que a vida é assim mesmo, uma vez terminados os trâmites do divórcio, não tem nenhum sentido continuar uma relação que já foi legalmente terminada. Imagino o que deve ter sentido ao saber o destino do homem com quem compartilhara grande parte de sua vida.

Em seguida, pensei no morto de pijamas, em sua solidão completa, abissal, a ponto de ninguém neste mundo inteiro ter se dado conta, por vinte longos anos, de que ele simplesmente desaparecera sem deixar traços. E concluo que pior do que sentir fome, do que sentir sede, do que estar desempregado, sofrendo por amor, desesperado por uma derrota — pior do que tudo isso, é sentir que ninguém, mas absolutamente ninguém neste mundo, se interessa por nós.

Que neste momento façamos uma prece silenciosa para esse homem, e lhe agradeçamos por nos fazer refletir sobre a importância de nossos amigos.

A brasa solitária

Juan ia sempre aos serviços dominicais de sua congregação. Mas começou a achar que o pastor dizia sempre as mesmas coisas, e parou de frequentar a igreja.

Dois meses depois, em uma fria noite de inverno, o pastor foi visitá-lo.

"Deve ter vindo para tentar convencer-me a voltar", pensou Juan consigo mesmo. Imaginou que não podia dizer a verdadeira razão: os sermões repetitivos. Precisava encontrar uma desculpa e, enquanto pensava, colocou duas cadeiras diante da lareira, e começou a falar sobre o tempo.

O pastor não disse nada. Juan, depois de tentar inutilmente puxar conversa por algum tempo, também se calou. Os dois ficaram em silêncio, contemplando o fogo por quase meia hora.

Foi então que o pastor levantou-se, e, com a ajuda de um galho que ainda não tinha queimado, afastou uma brasa, colocando-a longe do fogo.

A brasa, como não tinha suficiente calor para continuar queimando, começou a apagar. Juan, mais que depressa, atirou-a de volta ao centro da lareira.

— Boa noite — disse o pastor, levantando-se para sair.

— Boa noite e muito obrigado — respondeu Juan. — A brasa longe do fogo, por mais brilhante que seja, terminará extinguindo-se rapidamente.

"O homem longe dos seus semelhantes, por mais inteligente que seja, não conseguirá conservar seu calor e sua chama. Voltarei à igreja no próximo domingo."

Manuel é um homem importante e necessário

Manuel precisa estar ocupado. Caso contrário, acha que sua vida não tem sentido, está perdendo seu tempo, a sociedade não precisa dele, ninguém o ama, ninguém o quer.

Portanto, assim que acorda, tem uma série de tarefas: assistir ao noticiário na televisão (pode ter acontecido alguma coisa durante a noite), ler o jornal (pode ter acontecido alguma coisa durante o dia de ontem), pedir à mulher que não deixe as crianças se atrasarem para a escola, pegar um carro, um táxi, um ônibus, um metrô, mas sempre concentrado, olhando o vazio, olhando o relógio, se possível, dando alguns telefonemas em seu celular — e fazendo questão de que todos vejam que é um homem importante, útil para o mundo.

Manuel chega no trabalho, debruça-se sobre a papelada que o espera. Se for um funcionário, faz o possível para que o chefe veja que chegou na hora. Se for patrão, coloca todos para trabalhar imediatamente; caso não existam tarefas importantes, Manuel irá desenvolvê-las, criá-las, implementar um novo plano, estabelecer novas linhas de ação.

Manuel vai almoçar — mas jamais sozinho. Se for patrão, senta-se com os amigos, discute novas estratégias, fala mal dos concorrentes, sempre tem uma carta escondida na manga, queixa-se (com um certo orgulho) da sobrecarga de trabalho. Se Manuel for funcionário, também se senta com os amigos, queixa-se do chefe, diz que está fazendo muita hora extra, afirma com desespero (e com muito orgulho) que várias coisas na empresa dependem dele.

Manuel — patrão ou empregado — trabalha a tarde inteira. De vez em quando olha o relógio, está chegando a hora de voltar para casa, mas falta resolver um detalhe aqui, assinar um documento ali. É um homem honesto, quer fazer jus ao seu salário, às expectativas dos outros, aos sonhos de seus pais, que tanto se esforçaram para lhe dar a educação necessária.

Finalmente volta para casa. Toma banho, coloca uma roupa mais confortável, vai jantar com a família. Pergunta pelos deveres dos filhos, pelas atividades da mulher. De vez em quando fala do seu trabalho, apenas para servir de exemplo — porque não costuma trazer preocupações para casa. O jantar termina, os filhos — que não estão nem aí para exemplos, deveres, ou coisas similares — saem logo da mesa e vão para a frente do computador. Manuel, por sua vez, vai também se sentar diante daquele velho aparelho de sua infância, chamado televisão. De novo vê os noticiários (pode ter acontecido alguma coisa durante a tarde).

Vai deitar-se sempre com um livro técnico na mesa de cabeceira — sendo patrão ou empregado, sabe que a concorrência é grande, e quem não se atualiza corre o risco de perder o emprego e ter de enfrentar a pior das maldições: ficar desocupado.

Conversa alguma coisa com sua mulher — afinal, é um homem gentil, trabalhador, amoroso, que cuida de sua família e está pronto para defendê-la em qualquer circunstância. O sono vem logo, Manuel dorme, sabendo que no dia seguinte estará muito ocupado, e é preciso recuperar as energias.

Naquela noite, Manuel tem um sonho. Um anjo lhe pergunta:

— Por que você faz isso? — Ele responde que é um homem responsável.

O anjo continua: — Você seria capaz de, pelo menos durante quinze minutos do seu dia, parar um pouco, olhar o mundo, olhar você mesmo, e simplesmente não fazer nada? — Manuel diz que adoraria, mas não tem tempo para isso.

Você está me enganando — diz o anjo. — Todo mundo tem tempo para isso, o que falta é coragem. Trabalhar é uma bênção quando isso nos ajuda a pensar no que estamos fazendo. Mas torna-se uma maldição quando sua única utilidade é evitar que pensemos no sentido de nossa vida.

Manuel acorda no meio da noite, suando frio. Coragem? Como é que um homem que se sacrifica pelos seus não tem coragem de parar quinze minutos?

É melhor dormir de novo, tudo não passa de um sonho, essas perguntas não levam a nada, e amanhã vai estar muito, muito ocupado.

Manuel é um homem livre

Manuel trabalha trinta anos sem parar, educa seus filhos, dá bom exemplo, dedica-se o tempo inteiro ao trabalho, e jamais pergunta: "Será que tem sentido o que estou fazendo?". Sua única preocupação é achar que, quanto mais ocupado estiver, mais importante será aos olhos da sociedade.

Seus filhos crescem e saem de casa, é promovido no trabalho, um dia ganha um relógio ou uma caneta como recompensa por todos esses anos de dedicação, os amigos vertem algumas lágrimas, e chega o momento tão esperado: está aposentado, livre para fazer o que quiser!

Nos primeiros meses, ele visita vez por outra o escritório onde trabalhou, conversa com os antigos amigos, e dá-se o prazer de fazer algo com que sempre sonhou: acordar mais tarde. Passeia na praia ou na cidade, tem sua casa de campo comprada com muito suor, descobriu a jardinagem, e vai aos poucos penetrando no mistério das plantas e das flores. Manuel tem tempo, todo o tempo do mundo. Viaja usando parte do dinheiro que conseguiu juntar. Visita museus, aprende em duas horas o que pintores e escultores de diferentes épocas levaram séculos para desenvolver, mas pelo menos fica com a sensação de que está aumentando sua cultura. Tira muitas centenas, milhares de fotos, e manda para os amigos — afinal, eles precisam saber o quanto é feliz!

Outros meses se passam. Manuel aprende que o jardim não segue exatamente as mesmas regras que o homem — o que plantou vai demorar a crescer, e não adianta tentar ver se a roseira já tem botões. Em um momento de sincera reflexão, descobre que tudo o que viu em suas viagens foi uma paisagem do lado de fora do ônibus de turismo, monumentos que agora estão guardados em fotos 6 × 9, mas na verdade não conseguiu sentir nenhuma emoção especial — estava mais preocupado em contar para os amigos do que viver a experiência mágica de estar em um país estrangeiro.

Continua assistindo a todos os noticiários de televisão, lê mais jornais (porque tem mais tempo), julga-se uma pessoa extremamente bem informada, capaz de discutir coisas que antes não tinha tempo para estudar.

Procura alguém para dividir suas opiniões — mas todos estão imersos no rio da vida, trabalhando, fazendo alguma coisa, invejando Manuel por sua liberdade, e ao mesmo tempo contentes por serem úteis à sociedade, e estarem "ocupados" com alguma coisa importante.

Manuel busca conforto nos filhos. Estes sempre o tratam com muito carinho — foi um excelente pai, um exemplo de honestidade e dedicação —, mas também eles têm outras preocupações, embora considerem um dever participar do almoço de domingo.

Manuel é um homem livre, com uma situação financeira razoável, bem informado, um passado impecável, mas e agora? O que fazer desta liberdade tão arduamente conquistada? Todos o cumprimentam, o elogiam, mas ninguém tem tempo para ele. Pouco a pouco, Manuel começa a sentir-se triste, inútil — apesar dos muitos anos servindo ao mundo e à sua família.

Certa noite, um anjo aparece em seu sonho: "O que você fez da sua vida? Você procurou vivê-la de acordo com seus sonhos?".

Manuel acorda suando frio. Que sonhos? Seu sonho era este: ter um diploma, casar, ter filhos, educá-los, aposentar-se, viajar. Por que o anjo fica perguntando coisas sem sentido?

Um novo e longo dia começa. Os jornais. O noticiário na TV. O jardim. O almoço. Dormir um pouco. Fazer o que tem vontade — e, neste momento, descobre que não tem vontade de fazer nada. Manuel é um homem livre e triste, a um passo da depressão, porque estava ocupado demais para pensar no sentido da sua vida, enquanto os anos corriam por baixo da ponte. Lembra-se dos versos de um poeta: "Passou pela vida/não viveu".

Mas como é tarde demais para aceitar isso, melhor mudar de assunto. A liberdade, tão duramente conseguida, não passa de um exílio disfarçado.

Manuel vai ao Paraíso

Manuel está aposentado. Desfruta um pouco a liberdade de não ter hora para acordar, e poder usar seu tempo para fazer o que quiser. Mas logo cai em depressão: sente-se inútil, afastado da sociedade que ajudou a construir, abandonado pelos filhos que cresceram, incapaz de entender o sentido da vida — já que jamais se preocupou em responder à famosa pergunta: "O que estou fazendo aqui?".

Bem, nosso querido, honesto, dedicado Manuel termina morrendo um dia — o que irá acontecer com todos os Manuéis, Paulos, Marias, Mônicas da vida. E, neste caso, eu deixo a palavra a Henry Drummond, em seu brilhante livro *O Dom Supremo*, para descrever o que se passa daí por diante:

"Todos nós, em algum momento, já fizemos a mesma pergunta que todas as gerações fizeram:

Qual é a coisa mais importante da nossa existência?

Queremos empregar nossos dias da melhor maneira, pois ninguém mais pode viver pela gente. Então, precisamos saber: para onde devemos dirigir nossos esforços, qual o supremo objetivo a ser alcançado?

Estamos acostumados a escutar que o tesouro mais importante do mundo espiritual é a Fé. Nesta simples palavra se apoiam muitos séculos de religião.

Consideramos a Fé a coisa mais importante do mundo? Pois bem, estamos completamente errados.

Em sua epístola aos Coríntios, capítulo XIII, [São] Paulo nos conduz aos primeiros tempos do Cristianismo. E termina dizendo: *permanecem a Fé, a Esperança, e o Amor, estes três. Porém, o mais importante é o Amor.*

Não se trata de uma opinião superficial de [São] Paulo, autor destas frases. Afinal de contas, ele estava falando de Fé um momento antes, na mesma carta. Ele dizia:

Ainda que eu tenha tamanha fé, a ponto de transportar montes, se não tiver Amor, nada serei.

Paulo não fugiu do assunto; pelo contrário, comparou a Fé com o Amor. E concluiu:

[...] *o maior destes é o Amor.*

Mateus nos dá uma descrição clássica do Juízo Final: o Filho do Homem senta-se em um trono e separa, como um pastor, os cabritos das ovelhas.

Neste momento, a grande pergunta do ser humano não será: 'Como eu vivi?'.

Será, isto sim: 'Como amei?'.

O teste final de toda busca da Salvação será o Amor. Não será levado em conta o que fizemos, em que acreditamos, o que conseguimos.

Nada disso nos será cobrado. O que nos será cobrado: nossa maneira de amar o próximo.

Os erros que cometemos nem sequer serão lembrados. Seremos julgados pelo bem que deixamos de fazer. Pois manter o Amor trancado dentro de si é ir contra o espírito de Deus, é a prova de que nunca O conhecemos, de que Ele nos amou em vão, de que Seu Filho morreu inutilmente."

Nesse caso, nosso Manuel é salvo no momento de sua morte, porque, apesar de jamais ter dado um sentido à sua vida, foi capaz de amar, prover a sua família e ter dignidade naquilo que fazia. Entretanto, mesmo que o final seja feliz, o resto de seus dias na terra foi muito complicado.

Repetindo uma frase que escutei de Shimon Peres no Fórum Mundial de Davos: "Tanto o otimista como o pessimista terminam morrendo. Mas os dois aproveitaram a vida de maneira completamente distinta".

Uma conferência em Melbourne

Vai ser a minha participação mais importante no Festival de Escritores. São dez da manhã, a plateia está lotada. Serei entrevistado por um escritor local, John Felton.

Piso no palco com a apreensão de sempre. Felton me apresenta, e começa a me fazer perguntas. Antes que eu possa terminar um raciocínio, ele me interrompe e faz uma nova pergunta. Quando respondo, comenta algo como "esta resposta não foi bem clara". Cinco minutos depois, nota-se um mal-estar na plateia — todos estão percebendo que há algo errado. Lembro-me de Confúcio, e faço a única coisa possível:

— Você gosta do que eu escrevo? — pergunto.

— Isso não vem ao caso — responde. — Sou eu a entrevistá-lo, e não o contrário.

— Vem ao caso, sim. Você não me deixa concluir uma ideia. Confúcio disse: "Sempre que possível, seja claro". Vamos seguir este conselho e deixar as coisas claras: você gosta do que escrevo?

— Não, não gosto. Só li dois livros, e detestei.

— O.k., então podemos continuar.

Os campos agora estavam definidos. A plateia relaxa,

o ambiente enche-se de eletricidade, a entrevista vira um verdadeiro debate, e todos — inclusive Felton — ficam satisfeitos com o resultado.

O pianista no centro comercial

Estou andando, distraído, por um centro comercial, acompanhado de uma amiga violinista. Úrsula, nascida na Hungria, é atualmente figura de destaque em duas filarmônicas internacionais. De repente, ela segura meu braço:

— Ouça!

Ouço. Escuto vozes de adultos, gritos de criança, ruídos de televisões ligadas em lojas de eletrodomésticos, saltos de sapato batendo contra o chão de ladrilhos, e aquela famosa música, onipresente em todos os centros comerciais do mundo.

— Então, não é maravilhoso?

Respondo que não escutei nada de maravilhoso ou fora do normal.

— O piano! — ela diz, me olhando com um ar de decepção. — O pianista é maravilhoso!

— Deve ser uma gravação.

— Não diga bobagem.

Ouvindo com mais atenção, é óbvio que a música é ao vivo. Está tocando uma sonata de Chopin no momento, e, agora que consigo me concentrar, as notas parecem esconder todo o barulho que nos cerca. Andamos pelos corredores cheios de gente, de lojas, de ofertas, de coisas que, segundo anunciam, todo mundo tem — menos eu ou você. Chegamos à praça de alimentação: pessoas comendo, conversando, discutindo, lendo jornais, e uma dessas atrações que todo centro comercial procura dar a seus clientes.

Neste caso, um piano e um pianista.

Toca mais duas sonatas de Chopin, e logo Schubert, Mozart. Deve ter em torno de trinta anos; uma placa colocada ao lado do pequeno palco explica que é um famoso músico da Geórgia, uma das ex-repúblicas soviéticas. Deve ter procurado trabalho, as portas estavam fechadas, desesperou-se, resignou-se, e agora está ali.

Mas não tenho certeza se está mesmo ali: seus olhos fitam o mundo mágico onde essas músicas foram compostas, suas mãos dividem com todos o amor, a alma, o entusiasmo, o melhor de si mesmo, os seus anos de estudo, de concentração, de disciplina.

A única coisa que parece não ter entendido: ninguém, absolutamente ninguém, foi ali para ouvi-lo, mas para comprar, comer, distrair-se, olhar vitrines, encontrar amigos. Um casal para ao nosso lado, conversando em voz alta, e logo segue adiante. O pianista não viu isso — ainda está conversando com os anjos de Mozart. Tampouco viu que existe uma plateia de duas pessoas, uma das quais, talentosa violinista, o escuta com lágrimas nos olhos.

Lembro-me de uma capela onde entrei certa vez por acaso e vi uma moça tocando para Deus; mas estava em uma capela, aquilo fazia sentido. Neste caso, ninguém está ouvindo, possivelmente nem mesmo Deus.

Mentira. Deus está ouvindo. Deus está na alma e nas mãos deste homem, porque ele está dando o melhor de si mesmo, independentemente de qualquer reconhecimento, ou do dinheiro que recebeu. Toca como se estivesse no Scala de Milão, ou na Ópera de Paris. Toca porque esse é o seu destino, sua alegria, sua razão de viver.

Sou tomado de uma sensação de profunda reverência. Respeito por um homem que naquele momento está me relembrando uma lição importantíssima: você tem uma Lenda Pessoal para cumprir, e ponto final. Não importa se os outros apoiam, criticam, ignoram, toleram — você está fazendo aquilo porque é o seu destino nesta terra, é a fonte de qualquer alegria.

O pianista termina outra peça de Mozart e, pela primeira vez, nota a nossa presença. Nos cumprimenta com um educado e discreto aceno de cabeça, fazemos o mesmo. Mas logo volta ao seu paraíso, e é melhor deixá-lo ali, sem ser tocado por nada neste mundo, nem mesmo por nossos tímidos aplausos. Está servindo de exemplo a todos nós. Quando acharmos que ninguém presta atenção ao que fazemos, pensemos neste pianista: ele estava conversando com Deus através do seu trabalho, e o resto não tinha a menor importância.

Rumo à feira do livro de Chicago

Eu estava indo de Nova York para Chicago, rumo à feira de livros da American Booksellers Association. De repente, um rapaz fica em pé no corredor do avião:

— Preciso de doze voluntários — disse. — Cada um vai carregar uma rosa, quando aterrissarmos.

Várias pessoas levantaram a mão. Eu também levantei, mas não fui escolhido.

Mesmo assim, resolvi acompanhar o grupo. Descemos, o rapaz apontou para uma moça no saguão do aeroporto de O'Hare. Um a um, os passageiros foram entregando suas rosas para ela. No final, o rapaz pediu-a em casamento na frente de todos — e ela aceitou.

Um comissário de bordo comentou comigo:

— Desde que trabalho aqui, foi a coisa mais romântica que aconteceu neste aeroporto.

Dos bastões e das regras

No outono de 2003, estava passeando no meio da noite pelo centro de Estocolmo, quando vi uma senhora que caminhava usando bastões de esqui. Minha primeira reação foi atribuir aquilo a alguma lesão que tivesse sofrido, mas notei que ela andava rápido, com movimentos ritmados, como se estivesse em plena neve — só que tudo que havia à nossa volta era o asfalto das ruas. A conclusão óbvia foi: "Esta senhora é louca; como pode fingir que está esquiando em uma cidade?".

De volta ao hotel, comentei o fato com meu editor. Ele disse que louco era eu: o que eu vira era um tipo de exercício conhecido como "caminhada nórdica" (*nordic walking*). Segundo ele, além dos movimentos das pernas, os braços, os ombros, os músculos das costas são utilizados, permitindo um exercício muito mais completo.

Minha intenção ao caminhar (que, junto com o tiro com arco e flecha, é meu passatempo favorito) é poder refletir, pensar, olhar as maravilhas ao meu redor, conversar com minha mulher enquanto passeamos. Achei interessante o comentário de meu editor, mas não dei maior atenção ao fato.

Certo dia, estava em uma loja de esportes para comprar material para as flechas, quando notei novos bastões usados por montanhistas — leves, em alumínio, que podem ser abertos ou fechados, usando o sistema telescópico de um tripé fotográfico. Lembrei-me da tal "caminhada nórdica": por que não experimentar? Comprei dois pares, para mim e para minha mulher. Regulamos os bastões para uma altura confortável, e no dia seguinte resolvemos utilizá-los.

Foi uma descoberta fantástica! Subimos e descemos uma montanha, sentindo que na verdade todo o corpo se movimentava, o equilíbrio era melhor, o cansaço era menor. Andamos o dobro da distância que sempre cobrimos em uma hora. Lembrei-me de que certa vez tentara explorar um riacho seco, mas as dificuldades com as pedras em seu leito eram tão grandes que desisti da ideia. Achei que com os bastões seria bem mais fácil; e estava certo.

Minha mulher entrou na internet, e descobriu: queimava quarenta e seis por cento mais calorias que uma caminhada normal. Ficou entusiasmadíssima, e a "caminhada nórdica" passou a fazer parte do nosso cotidiano.

Certa tarde, para distrair-me, resolvi também entrar na internet e ver o que havia sobre o assunto. Levei um susto: eram páginas e mais páginas, federações, grupos, discussões, modelos, e... regras.

Não sei o que me empurrou para abrir uma página sobre as regras. Enquanto lia, ia ficando horrorizado: eu estava fazendo tudo errado! Os meus bastões deviam ser regulados em uma altura maior, tinham de obedecer a determinado ritmo, determinado ângulo de apoio, o movimento do ombro era complicado, existia uma maneira diferente de usar o cotovelo, tudo seguia preceitos rígidos, técnicos, exatos.

Imprimi todas as páginas. No dia seguinte — e nos que se seguiram — tentei fazer exatamente aquilo que os especialistas mandavam. A caminhada começou a perder o interesse, eu já não via as maravilhas à minha volta, pouco conversava com minha mulher, não conseguia pensar em nada além das regras. No final de uma semana, me fiz uma pergunta: por que estou aprendendo tudo isso?

Meu objetivo não é fazer ginástica. Não creio que as pessoas que faziam sua "caminhada nórdica", no início, tivessem pensado em nada além do prazer de andar, aumentar o equilíbrio, e movimentar o corpo inteiro. Intuitivamente sabíamos qual era a altura ideal do bastão, como também intuitivamente podíamos deduzir que, quanto mais perto eles estivessem do corpo, melhor e mais fácil o movimento. Mas agora, por causa das regras, eu tinha deixado de me concentrar nas coisas de que gosto, e estava mais preocupado em perder calorias, mover os músculos, usar certa parte da coluna.

Decidi esquecer tudo o que tinha aprendido. Hoje em dia caminhamos com nossos dois bastões, desfrutando o mundo ao redor, sentindo a alegria de ver o corpo sendo exigido, movido, equilibrado. E se eu quiser fazer ginástica em vez de uma "meditação em movimento" procurarei uma academia. No momento, estou satisfeito com minha "caminhada nórdica" relaxada, instintiva, mesmo que talvez eu não esteja perdendo quarenta e seis por cento de calorias a mais.

Não sei por que o ser humano tem essa mania de colocar regras em tudo.

O pão que caiu do lado errado

Nossa tendência é sempre acreditar na famosa "Lei de Murphy": tudo o que fazemos sempre tende a dar errado.

Jean-Claude Carrière conta uma interessante história a respeito:

"Um homem tomava despreocupadamente seu café da manhã.

De repente, o pão em que acabara de passar manteiga caiu no chão.

Qual não foi sua surpresa quando, ao olhar para baixo, viu que a parte em que tinha passado a manteiga estava virada para cima! O homem achou que tinha presenciado um milagre: animado, foi conversar com seus amigos sobre o ocorrido — e todos ficaram surpresos, porque o pão, quando cai no solo, sempre fica com a parte da manteiga virada para baixo, sujando tudo.

— Talvez você seja um santo — disse um. — E está recebendo um sinal de Deus.

A história logo correu a pequena aldeia, e todos se puseram a discutir animadamente o ocorrido: como é que, contrariando tudo o que se dizia, o pão daquele homem tinha caído no chão daquela maneira? Como ninguém conseguia encontrar uma resposta adequada, foram procurar um Mestre que morava nas redondezas, e contaram a história.

O Mestre pediu uma noite para rezar, refletir, pedir inspiração Divina. No dia seguinte, todos foram até ele, ansiosos pela resposta.

— É uma solução muito simples — disse o mestre. — Na verdade, o pão caiu no chão exatamente como devia cair; a manteiga é que havia sido passada no lado errado."

De livros e bibliotecas

Na verdade, não tenho muitos livros: há alguns anos, fiz certas escolhas na vida, guiado pela ideia de procurar ter um máximo de qualidade, com o mínimo de coisas. Não quer dizer que tenha optado por uma vida monástica — muito pelo contrário; quando não somos obrigados a possuir uma infinidade de objetos, temos uma liberdade imensa. Alguns de meus amigos (e amigas) reclamam que, por causa do excesso de roupas, perdem horas de suas vidas tentando escolher o que vestir. Como resumi meu guarda-roupa a um "preto básico", não preciso enfrentar esse problema.

Mas não estou aqui para falar de moda, e sim de livros. Para voltar ao essencial, decidi manter apenas quatrocentos livros em minha biblioteca — alguns por razões sentimentais, outros porque estou sempre relendo. Tal decisão foi tomada por vários motivos, e um deles é a tristeza de ver como bibliotecas acumuladas cuidadosamente durante a vida são depois vendidas a peso, sem qualquer respeito. Outra razão: por que manter todos esses volumes em casa? Para mostrar aos amigos que sou culto? Para enfeitar a parede? Os livros que comprei serão infinitamente mais úteis em uma biblioteca pública do que em minha casa.

Antigamente, poderia dizer: preciso deles porque vou consultá-los. Mas hoje em dia, quando há necessidade de qualquer informação, conecto o computador, digito uma palavra-chave, e diante de mim aparece tudo de que preciso. Ali está a internet, a maior biblioteca do planeta.

Claro que continuo comprando livros — não existe meio eletrônico que consiga substituí-los. Mas assim que termino, deixo que eles viajem, dou para alguém, ou entrego a uma biblioteca pública. Minha intenção não é salvar florestas ou ser generoso: apenas creio que um livro tem um percurso próprio, e não pode ser condenado a ficar imóvel em uma estante.

Sendo escritor, e vivendo de direitos autorais, posso estar advogando contra mim mesmo — afinal, quanto mais livros comprassem, mais dinheiro ganharia. Entretanto, seria injusto com o leitor, principalmente em países onde grande parte dos programas governamentais de compras para bibliotecas é feita sem o critério básico de uma escolha séria: o prazer da leitura com a qualidade do texto.

Deixemos, pois, nossos livros viajarem, serem tocados por outras mãos, e desfrutados por olhos alheios. No momento em que escrevo esta coluna, lembro-me vagamente de um poema de Jorge Luis Borges que fala dos livros que jamais tornarão a ser abertos.

Onde estou agora? Em uma pequena cidade dos Pirineus, na França, sentado em um café, aproveitando o ar-condicionado, já que a temperatura lá fora está insuportável. Por acaso, tenho a coleção completa de Borges em minha casa, a alguns quilômetros do local onde escrevo — é um escritor que estou constantemente relendo. Mas por que não fazer o teste?

Atravesso a rua. Caminho cinco minutos até outro café, equipado com computadores (um tipo de estabelecimento conhecido pelo simpático e contraditório nome de cyber-café). Cumprimento o dono, peço uma água mineral geladíssima, abro a página de um mecanismo de busca, e digito algumas palavras de um único verso de que me lembro, junto com o nome do autor. Menos de dois minutos depois estou com a poesia completa diante de mim:

Há uma linha de Verlaine da qual nunca mais me lembrarei.
Há uma rua próxima que está vedada a meus passos,
Há um espelho que já me viu pela última vez,
Há uma porta fechada até o final dos tempos.
Entre os livros de minha biblioteca
Há algum que já não tornarei a abrir.

Na verdade, tenho a impressão de que jamais tornaria a abrir muitos dos livros que doei — porque sempre é publicado algo novo, interessante, e eu adoro ler. Acho ótimo que as pessoas tenham bibliotecas; geralmente o primeiro contato de crianças com livros se dá através da curiosidade por aqueles volumes encadernados, com figuras e letras. Mas também acho ótimo quando, em uma tarde de autógrafos, encontro leitores com exemplares usadíssimos, que foram emprestados dezenas de vezes: isso significa que aquele livro viajou como a mente do seu autor viajava, enquanto o escrevia.

Praga, 1981

Certa vez, no inverno de 1981, eu caminhava com minha mulher pelas ruas de Praga, quando vimos um rapaz desenhando os prédios à sua volta.

Embora eu tenha verdadeiro horror de carregar coisas enquanto viajo (e ainda havia muita viagem pela frente), gostei de um dos desenhos e resolvi comprá-lo.

Quando estendi o dinheiro, reparei que o rapaz estava sem luvas — apesar do frio de cinco graus negativos.

— Por que você não usa luvas? —, perguntei.

— Para poder segurar o lápis. — E começou a me contar que adorava Praga no inverno, era a melhor estação para desenhar a cidade. Ficou tão contente com a compra, que resolveu fazer um retrato de minha mulher, sem cobrar nada.

Enquanto eu esperava o desenho ficar pronto, me dei conta de que algo muito estranho acontecera: havíamos conversado quase cinco minutos, sem que um soubesse falar a língua do outro. Nos entendemos apenas com gestos, risos, expressões faciais, e vontade de compartilhar alguma coisa.

A simples vontade de dividir algo fez com que conseguíssemos entrar no mundo da linguagem sem palavras, onde tudo é sempre claro, e não existe o menor risco de ser mal interpretado.

Para uma mulher que é todas as mulheres

Uma semana depois de terminada a feira de livros de Frankfurt de 2003, recebo um telefonema de meu editor da Noruega: os organizadores do concerto a ser realizado para o Prêmio Nobel da Paz, a iraniana Shirin Ebadi, solicitam que eu escreva um texto para o evento.

É uma honra que eu não devo recusar, já que Shirin Ebadi é um mito: uma mulher de 1,50 m de altura, mas com estatura suficiente para fazer com que sua voz em defesa dos direitos do homem seja ouvida nos quatro cantos do mundo. Ao mesmo tempo, é uma responsabilidade que me deixa um pouco apreensivo — o evento será transmitido em cento e dez países, e eu tenho apenas dois minutos para falar sobre alguém que dedicou sua vida inteira ao próximo. Caminho pelas florestas ao lado do moinho onde vivo quando estou na Europa, penso várias vezes em telefonar dizendo que estou sem inspiração. Entretanto, o mais interessante na vida são os desafios que enfrentamos, e termino aceitando o convite.

Viajo para Oslo em 9 de dezembro, e no dia seguinte — um lindo dia de sol — estou na plateia na cerimônia de entrega do prêmio. As amplas janelas da Prefeitura permitem ver o porto onde mais ou menos na mesma época, vinte e um anos atrás, eu estava sentado com minha mulher, olhando o mar gelado, comendo camarões que tinham acabado de chegar nos navios pesqueiros. Penso no longo percurso que me levou daquele porto até aquela sala, mas as lembranças do passado são interrompidas pelo soar de trombetas e pela entrada da rainha e da família real. O comitê organizador entrega o prêmio, Shirin Ebadi faz um veemente discurso denunciando o uso do terror como justificativa para a criação de um estado policial no mundo.

À noite, no concerto em homenagem à premiada, Catherine Zetha-Jones anuncia meu texto. Neste momento, aperto um botão do meu celular, o telefone soa no velho moinho (tudo já previamente combinado), e minha mulher passa a estar ali comigo, escutando a voz de Michael Douglas enquanto ele lê minhas palavras.

A seguir, o texto que escrevi — e que penso se aplicar a todos aqueles que lutam por um mundo melhor:

"Disse o poeta Rumi: a vida é como se um rei enviasse alguém a um país para realizar determinada tarefa. A pessoa vai e faz uma centena de coisas — mas se não tiver feito aquilo que lhe foi pedido, é como se não tivesse feito absolutamente nada.

Para a mulher que entendeu sua tarefa.

Para a mulher que olhou para a estrada diante dos seus olhos, e entendeu que sua caminhada ia ser muito difícil.

Para a mulher que não procurou minimizar estas dificuldades: ao contrário, as denunciou e fez com que fossem visíveis.

Para a mulher que deixou menos solitários os que estão sós, que alimentou os que tinham fome e sede de justiça, que fez o opressor sentir-se tão mal como o oprimido.

Para a mulher que sempre mantém suas portas abertas, suas mãos trabalhando, seus pés em movimento.

Para a mulher que personifica os versos de outro poeta persa, Hafez, quando diz: nem mesmo sete mil anos de alegria podem justificar sete dias de repressão.

Para a mulher que está aqui esta noite: que ela seja cada um de nós, que seu exemplo se multiplique, que ela ainda tenha muitos dias difíceis pela frente, de modo que possa completar seu trabalho. Assim, para as próximas gerações, o significado de injustiça será encontrado apenas nas definições dos dicionários, e jamais na vida de seres humanos.

Que sua caminhada seja lenta, porque seu ritmo é o ritmo da mudança.

E a mudança, a verdadeira mudança, sempre leva muito tempo para acontecer."

Alguém chega do Marrocos

Alguém chega do Marrocos e me conta uma curiosa história sobre como certas tribos do deserto veem o pecado original.

Eva passeava pelo Jardim do Éden, quando a serpente se aproximou.

— Coma esta maçã — disse a serpente.

Eva, muito bem instruída por Deus, recusou.

— Coma esta maçã — insistiu a serpente — porque você precisa ficar mais bela para o seu homem.

— Não preciso — respondeu Eva. — Porque ele não tem outra mulher além de mim.

A serpente riu:

— Claro que tem.

E como Eva não acreditasse, a serpente levou-a até o alto de uma colina, onde existia um poço.

— Ela está dentro desta caverna; Adão escondeu-a ali.

Eva debruçou-se e viu, refletida na água do poço, uma linda mulher. Na mesma hora comeu a maçã que a serpente lhe oferecia.

Segundo essa mesma tribo do Marrocos, volta ao Paraíso todo aquele que se reconhece no reflexo do poço, e não teme mais a si mesmo.

O meu funeral

O jornalista do *Mail on Sunday* aparece no hotel em Londres, com uma simples pergunta: se eu morresse hoje, como seria o meu funeral?

Na verdade, a ideia da morte me acompanha todos os dias desde 1986, quando fiz o Caminho de Santiago. Até aquele momento, a ideia de que tudo pudesse acabar um dia era assustadora — mas, em uma das etapas da peregrinação, fiz um exercício que consistia em experimentar a sensação de ser enterrado vivo. O exercício foi tão intenso que me fez perder por completo o medo, e passar a encarar a morte como uma grande companheira de jornada, que está sempre sentada ao meu lado, dizendo: "Eu vou tocá-lo, e você não sabe quando — portanto, não deixe de viver da maneira mais intensa possível".

Por causa disso, eu jamais deixo para amanhã o que posso viver hoje — e isso inclui alegrias, obrigações para com o meu trabalho, pedidos de perdão quando sinto que feri alguém, contemplação do momento presente como se fosse o último. Posso me lembrar de muitas vezes que senti o perfume da morte: o dia longínquo de 1974, no Aterro do Flamengo (Rio de Janeiro), quando o táxi onde estava foi fechado por outro carro, e um grupo de paramilitares saltou com armas na mão, colocaram um capuz em minha cabeça, e, embora garantissem que nada ia acontecer, eu tive certeza de que seria mais um dos desaparecidos do regime militar.

Ou quando, em agosto de 1989, me perdi em uma escalada dos Pirineus: olhei os picos sem neve e sem vegetação, achei que não teria forças para voltar, e concluí que só no verão seguinte iriam achar meu corpo. Finalmente, depois de vagar por muitas horas, consegui achar uma trilha que me levou até uma aldeia perdida.

O jornalista do *Mail on Sunday* insiste:

— Mas como seria seu funeral?

— Bem, conforme o testamento feito, não haverá funeral: decidi ser cremado, e minha mulher espalhará minhas cinzas em um lugar chamado O Cebreiro, na Espanha — onde encontrei minha espada. Meus manuscritos inéditos não poderão ser publicados (fico assustado com o número de "obras póstumas" ou "baús de textos" que herdeiros de artistas, sem nenhum escrúpulo, resolvem publicar para ganhar algum dinheiro; se eles não fizeram isso enquanto estavam vivos, por que não respeitar essa intimidade?). A espada que encontrei no Caminho de Santiago será jogada ao mar, retornando ao lugar de onde veio. E o meu dinheiro, junto com os direitos autorais que continuarão a ser recebidos durante os próximos setenta anos, serão inteiramente destinados à fundação que criei.

— E seu epitáfio — insiste o jornalista.

— Ora, se serei cremado, não terei aquela famosa pedra com uma inscrição, já que as cinzas serão levadas pelo vento. Mas, se tivesse de escolher uma frase, pediria que ali fosse gravado: "Ele morreu enquanto estava vivo". Pode parecer um contrassenso, mas conheço muitas pessoas que já deixaram de viver, embora continuem trabalhando, comendo, e tendo suas atividades sociais de sempre. Fazem tudo de maneira automática, sem compreender o momento mágico que cada dia traz em si, sem parar para pensar no milagre da vida, sem entender que o próximo minuto pode ser o seu último momento na face deste planeta.

O jornalista despede-se, sento-me no computador e resolvo escrever esta coluna. Sei que ninguém gosta de pensar sobre o tema, mas tenho um dever para com os meus leitores: fazer com que reflitam sobre as coisas importantes da existência. E a morte é talvez a mais importante delas: caminhamos em sua direção, não sabemos jamais quando irá nos tocar, e portanto temos o dever de olhar à nossa volta, agradecer por cada minuto, mas agradecer também porque ela nos faz pensar sobre a importância de cada atitude que tomamos ou deixamos de tomar.

E a partir daí, deixar de fazer aquilo que nos mantém como "mortos vivos", e apostar tudo, arriscar tudo, pelas coisas que sempre sonhamos realizar.

Já que, querendo ou não, o anjo da morte está nos esperando.

Restaurando a teia

Em Nova York, vou tomar chá no final da tarde com uma artista bastante incomum. Ela trabalha num banco em Wall Street, mas certo dia teve um sonho: precisava ir a doze lugares do mundo e, em cada um desses lugares, fazer um trabalho de pintura e escultura na própria natureza.

Por enquanto, já conseguiu realizar quatro desses trabalhos. Ela me mostra as fotos de um deles: um índio esculpido em uma caverna na Califórnia. Enquanto aguarda os sinais através dos sonhos, continua trabalhando no banco — assim consegue dinheiro para viajar e realizar sua tarefa.

Pergunto por que faz isso.

— Para manter o mundo em equilíbrio — responde. — Pode parecer bobagem, mas existe alguma coisa tênue unindo todos nós, e que podemos melhorar ou piorar à medida que vamos agindo. Podemos salvar ou destruir muita coisa com um simples gesto que às vezes parece absolutamente inútil. "Pode até ser que meus sonhos sejam bobagem, mas não quero correr o risco de não segui-los: para mim, as relações entre os homens são iguais a uma imensa e frágil teia de aranha. Com meu trabalho, estou tentando remendar alguma parte dessa teia."

Afinal, estes são meus amigos

— Este rei é poderoso porque tem pacto com o demônio — dizia uma beata na rua. O rapaz ficou intrigado.

Tempos depois, enquanto viajava para outra cidade, o rapaz escutou um homem ao seu lado comentar:

— Todas as terras pertencem ao mesmo dono. Isso é coisa do diabo!

No final de uma tarde de verão, uma bela mulher passou ao lado do rapaz.

— Esta moça está a serviço de Satanás! — gritou um pregador, indignado.

A partir daí, o rapaz resolveu procurar o demônio.

— Comenta-se que o senhor faz as pessoas poderosas, ricas e belas — disse o rapaz, assim que o encontrou.

— Não é bem assim — respondeu o demônio. — Você só escutou a opinião daqueles que estão querendo me promover.

Como sobrevivemos?

Recebo pelo correio três litros de produto que substitui o leite; uma companhia norueguesa quer saber se estou interessado em investir na produção desse novo tipo de alimento, já que, conforme o parecer do especialista David Rietz, "TODO (as maiúsculas são dele) leite de vaca tem 59 hormônios ativos, muita gordura, colesterol, dioxinas, bactérias e vírus".

Penso no cálcio que, desde criança, minha mãe me dizia que era bom para os ossos, mas o especialista se adiantou a mim: "Cálcio? Como é que as vacas conseguem adquirir suficiente cálcio para sua volumosa estrutura óssea? Das plantas!". Claro, o novo produto é feito à base de plantas, e o leite é condenado com base em um sem-número de estudos feitos nos mais diversos institutos espalhados pelo mundo.

E a proteína? David Rietz é implacável: "Sei que chamam o leite de carne líquida [nunca ouvi essa expressão, mas ele deve saber o que está falando] por causa da alta dose de proteína ali contida. Mas é a proteína que faz com que o cálcio não possa ser absorvido pelo organismo. Países que têm uma dieta rica em proteínas também têm um alto índice de osteoporose (ausência de cálcio nos ossos)".

Nessa mesma tarde, recebo de minha mulher um texto encontrado na internet:

"As pessoas que hoje têm entre quarenta e sessenta anos andavam em carros que não tinham cinto de segurança, apoio de cabeça, ou airbag. As crianças iam soltas no banco de trás, fazendo a maior arruaça e se divertindo aos pulos.

Os berços eram pintados com tintas coloridas, 'duvidosas', já que podiam ter chumbo ou outro elemento perigoso."

Eu, por exemplo, sou parte de uma geração que fazia os famosos carrinhos de rolimã (não sei como explicar isso para a geração de hoje — digamos que eram bolas de metal presas entre dois aros de ferro) e descíamos as ladeiras de Botafogo, usando os sapatos como freio, caindo, nos machucando, mas orgulhosos da aventura em alta velocidade.

O texto continua:

"Não havia celular, nossos pais não tinham como saber onde estávamos: como era possível? As crianças jamais tinham razão, viviam de castigo, e nem por isso tinham problemas psicológicos de rejeição ou falta de amor. Na escola existiam os bons e os maus alunos: os primeiros passavam para a próxima etapa, os segundos eram reprovados. Não se procurava um psicoterapeuta para estudar o caso — exigiam apenas que se repetisse o ano."

E mesmo assim sobrevivemos com alguns joelhos arranhados, e poucos traumas. Não apenas sobrevivemos, como nos lembramos, com saudade, do tempo em que leite não era veneno, a criança precisava resolver seus problemas sem ajuda, brigar quando necessário, e passar grande parte do dia sem jogos eletrônicos, inventando brincadeiras com os amigos.

Mas voltemos ao tema inicial da coluna: resolvi experimentar o novo e milagroso produto que substitui o leite assassino.

Não consegui passar do primeiro gole.

Pedi que minha mulher e minha empregada experimentassem, sem explicar o que era aquilo: as duas disseram que jamais tinham provado algo tão ruim na vida.

Fico preocupado com as crianças de amanhã, com seus jogos eletrônicos, pais com celulares, psicoterapeutas ajudando em cada derrota, e — sobretudo — sendo obrigadas a beber essa "poção mágica" que as manterá sem colesterol, osteoporose, 59 hormônios ativos, toxinas.

Viverão com muita saúde, muito equilíbrio, e, quando crescerem, descobrirão o leite (a essa altura, possivelmente uma bebida fora da lei). Quem sabe um cientista de 2050 se encarregará de resgatar algo que é consumido desde o início dos tempos?

Ou o leite será obtido apenas por intermédio de traficantes de drogas?

Marcado para morrer

Eu possivelmente devia morrer às 22h30 do dia 22 de agosto de 2004, menos de quarenta e oito horas antes da data do meu aniversário. Para que o cenário da quase morte pudesse ser montado, uma série de fatores entrou em ação:

A) o ator Will Smith, nas entrevistas para promover seu novo filme, sempre falava do meu livro *O Alquimista*;

B) o filme era baseado em um livro que havia lido há anos, e gostado muito: *Eu, Robô*, de Isaac Asimov. Decidi que iria assisti-lo, em homenagem a Smith e Asimov;

C) o filme entrou em cartaz em uma pequena cidade do sudoeste da França, logo na primeira semana de agosto. Mas uma série de coisas, sem a menor importância, fez com que eu adiasse minha ida ao cinema — até aquele domingo.

Jantei cedo, dividi meia garrafa de vinho com a minha mulher, convidei minha empregada para ir conosco (ela relutou, mas acabou aceitando), chegamos a tempo, compramos pipoca, assistimos ao filme, gostamos.

Peguei o carro para a viagem de dez minutos até meu antigo moinho transformado em casa. Coloquei um CD de músicas brasileiras, e resolvi ir bastante devagar, para que, nesses dez minutos, pudéssemos escutar pelo menos três canções.

Na estrada de mão dupla, passando pelo meio de cidadezinhas adormecidas, eu vejo — surgindo do nada — um par de faróis no espelho ao lado do motorista. Diante de nós, um cruzamento, devidamente balizado por postes.

Tento pisar no freio, porque sei que o carro não irá conseguir seu intento — os postes cortam por completo qualquer possibilidade de ultrapassagem. Tudo isso demora uma fração de segundo — lembro-me de haver pensado "Esse sujeito está louco!", mas não tenho tempo de fazer qualquer comentário. O motorista do carro (a imagem que ficou gravada em minha memória é a de um Mercedes, mas não tenho certeza) vê os postes, acelera, me dá uma fechada e, quando tenta corrigir sua direção, fica atravessado na estrada.

A partir daí, tudo parece acontecer em câmera lenta: ele dá a primeira, a segunda, a terceira capotada lateral. Em seguida, o carro é atirado no acostamento, e continua capotando — dessa vez em grandes saltos, com os para-choques da frente e de trás batendo no chão.

Meus faróis iluminam tudo, e eu não posso frear de repente. Vou acompanhando o carro que dá cambalhotas ao meu lado, parece uma cena do filme que acabo de ver — só que, meu Deus, antes era ficção, e agora é a vida real!

O carro volta para a estrada, e finalmente para, tombado do seu lado esquerdo. Eu posso ver a camisa do motorista. Estaciono ao seu lado, e uma só coisa passa na minha cabeça: preciso sair, ajudá-lo. Nesse momento sinto as unhas de minha mulher cravando fundo no meu braço: ela pede pelo amor de Deus que eu continue, estacione mais adiante, o carro acidentado pode explodir, pegar fogo.

Ando mais cem metros, e estaciono. O toca-discos continua tocando aquela música brasileira, como se nada tivesse acontecido. Tudo parece tão surreal, tão distante. Minha mulher e Isabel, minha empregada, saem correndo em direção ao local. Outro carro, vindo em direção contrária, freia. Uma mulher salta, nervosa: seus faróis também haviam iluminado a cena dantesca. Pergunta se tenho celular, sim, eu tenho. Então ligue para a emergência!

Qual o número da emergência? Ela me olha: todo mundo sabe! Três vezes 51! O celular está desligado: antes do filme, sempre lembram que devemos fazer isso. Entro com o código de acesso, telefonamos para a emergência — 51 51 51. Sei exatamente onde tudo aconteceu: entre o vilarejo de Laloubere e o vilarejo de Horgues.

Minha mulher e a empregada voltam: o rapaz está com escoriações, mas não parece nada grave. Depois de tudo que vi, depois de seis capotadas, nada grave! Saiu do carro meio zonzo, outros motoristas pararam, os bombeiros chegam em cinco minutos, tudo está bem.

Tudo está bem. Por uma fração mínima de segundo, ele teria encostado em mim, me jogado na vala, tudo estaria muito mal para ambos. Péssimo.

Quando chego em casa, olho as estrelas. Às vezes certas coisas estão em nosso caminho, mas porque não chegou nossa hora, elas passam raspando, sem nos tocar — embora sejam suficientemente claras para que possamos vê-las. Agradeço a Deus a consciência de entender que, como diz um amigo meu, aconteceu tudo que tinha de acontecer, e não aconteceu nada.

O momento da aurora

Durante o Fórum Econômico de Davos, o prêmio Nobel da Paz Shimon Peres contou a seguinte história:

"Um rabino reuniu seus alunos, e perguntou:

— Como é que sabemos o exato momento em que a noite acaba e o dia começa?

— Quando, a distância, somos capazes de distinguir uma ovelha de um cachorro — disse um menino.

— Na verdade — disse outro aluno — sabemos que já é dia quando podemos distinguir, a distância, uma oliveira de uma figueira.

— Não é uma boa definição.

— Qual a resposta, então? — perguntaram os garotos. E o rabino disse:

— Quando um estrangeiro se aproxima, nós o confundimos com o nosso irmão, e os conflitos desaparecem — este é o momento em que a noite acabou e o dia começa."

Um dia qualquer de janeiro de 2005

Hoje está chovendo muito, e a temperatura está perto de 3°C. Resolvo andar — acho que se não ando todos os dias, não consigo trabalhar direito —, mas o vento também está forte, e volto para o carro depois de dez minutos. Pego o jornal na caixa de correio, nada de importante — exceto as coisas que os jornalistas decidiram que devemos saber, acompanhar, tomar posição a respeito.

Vou para o computador ler as mensagens eletrônicas.

Nada de novo, algumas decisões sem importância, que em pouco tempo resolvo.

Tento um pouco de arco e flecha, mas o vento continua, é impossível. Já escrevi meu livro bianual, que desta vez se chama *O Zahir*, e ainda faltam algumas semanas para sua publicação. Já escrevi as colunas que publico na internet. Já fiz o boletim da minha página na Web. Fiz um check-up do estômago que felizmente não detectou qualquer anomalia (me assustaram muito com a tal história do tubo entrando pela boca, mas não é nada de terrível). Fui ao dentista. Os bilhetes da próxima viagem de avião, que estavam demorando, chegaram por correio expresso. Tem coisas que preciso fazer amanhã, e coisas que terminei de fazer ontem, mas hoje...

Hoje não tenho absolutamente nada em que concentrar minha atenção.

Fico assustado: não devia estar fazendo alguma coisa? Bem, se quiser inventar trabalho, não precisa muito esforço — sempre temos projetos a serem desenvolvidos, lâmpadas que precisam ser trocadas, folhas secas que devem ser varridas, arrumação de livros, organização dos arquivos do computador etc. Mas que tal encarar o vazio total?

Coloco um gorro, roupa térmica, um casaco impermeável, e saio para o jardim — desta maneira conseguirei resistir ao frio pelas próximas quatro ou cinco horas. Sento-me na grama molhada, e começo a listar mentalmente o que passa pela minha cabeça:

A) Sou inútil. Todo mundo neste momento está ocupado, trabalhando duro.

Resposta: também trabalho duro, às vezes doze horas por dia. Hoje, por acaso, não tenho nada que fazer.

B) Não tenho amigos. Estou aqui sozinho, um dos mais famosos escritores do mundo, e o telefone não toca.

Resposta: claro que tenho amigos. Mas eles sabem respeitar minha necessidade de isolamento quando estou no velho moinho em St. Martin, na França.

C) Preciso sair para comprar cola.

Sim, acabo de lembrar-me que ontem estava faltando cola. Que tal pegar o carro e ir até a cidade mais próxima? E neste pensamento me detenho. Por que é tão difícil ficar como estou agora, sem fazer nada?

Uma série de pensamentos cruza minha cabeça: amigos que se preocupam com coisas que ainda não aconteceram, conhecidos que sabem preencher cada minuto de suas vidas com tarefas que me parecem absurdas, conversas sem sentido, telefonemas longos para não dizer nada de importante. Chefes que inventam trabalho para justificar seus cargos, funcionários que ficam com medo porque não lhes foi dado nada de importante para fazer naquele dia e isso pode significar que já não são mais úteis, mães que se torturam porque os filhos saíram, estudantes que se torturam por estudos, provas, exames.

Travo uma longa e difícil luta comigo mesmo para não me levantar e ir até a papelaria comprar a cola que está faltando. A angústia é imensa, mas estou decidido a ficar aqui, sem fazer nada, pelo menos por algumas horas. Pouco a pouco, a ansiedade vai cedendo lugar à contemplação, e eu começo a escutar minha alma. Ela estava louca para conversar comigo, mas eu vivo ocupado.

O vento continua soprando muito forte, sei que está frio, que chove, e que amanhã talvez eu precise comprar cola. Não estou fazendo nada, e estou fazendo a coisa mais importante na vida de um homem: estou escutando o que eu precisava ouvir de mim mesmo.

Um homem deitado no chão

No dia 1º de julho de 1997, às 13h05, havia um homem, de aproximadamente cinquenta anos, deitado no calçadão de Copacabana. Eu passei por ele, lancei um rápido olhar, e continuei meu caminho em direção a uma barraca onde sempre costumo beber água de coco.

Como carioca, já cruzei centenas (milhares?) de vezes com homens, mulheres ou crianças deitadas no chão. Como alguém que costuma viajar, já vi a mesma cena em praticamente todos os países onde estive — da rica Suécia à miserável Romênia. Vi pessoas deitadas no chão em todas as estações do ano: no inverno cortante de Madri, Nova York ou Paris, onde ficam perto do ar quente que sai das estações de metrô. No sol escaldante do Líbano, entre os edifícios destruídos por anos de guerra. Pessoas deitadas no chão — bêbadas, desabrigadas, cansadas — não constituem novidade na vida de ninguém.

Tomei minha água de coco. Precisava voltar rápido, pois tinha uma entrevista com Juan Arias, do jornal espanhol *El País*. No meu caminho de volta, vi que o homem continuava ali, debaixo do sol — e todos que passavam agiam exatamente como eu: olhavam, e seguiam adiante.

Acontece que — embora eu não soubesse disso — minha alma já estava cansada de ver essa mesma cena tantas vezes. Quando tornei a passar por aquele homem, algo mais forte do que eu me fez ajoelhar, e tentar levantá-lo.

Ele não reagia. Eu virei sua cabeça, e havia sangue perto de sua têmpora. E agora? Era um ferimento sério? Limpei sua pele com a minha camiseta: não parecia nada grave.

Nesse momento, o homem começou a murmurar qualquer coisa como "*Pede para eles não me baterem*". Bem, ele estava vivo; agora eu precisava tirá-lo do sol, e chamar a polícia.

Eu parei o primeiro homem que passou, e pedi que me ajudasse a arrastá-lo até a sombra entre o calçadão e a areia. Ele estava de terno, pasta, embrulhos, mas deixou tudo de lado e veio me ajudar — sua alma também já devia estar cansada de ver aquela cena.

Uma vez colocado o homem na sombra, fui andando em direção à minha casa — sabia que havia uma cabine de PM, e poderia pedir ajuda ali. Mas, antes de chegar até lá, cruzei com dois soldados.

— Tem um homem machucado, diante do número tal — disse. — Coloquei-o na areia. Seria bom mandar uma ambulância.

Os policiais disseram que iam tomar providências. Pronto, eu havia cumprido meu dever. Escoteiro, sempre alerta. A boa ação do dia! O problema agora estava em outras mãos, elas que se responsabilizassem. E o jornalista espanhol estaria chegando em minha casa em alguns minutos.

Não tinha dado dez passos, e um estrangeiro me interrompeu. Falou em português confuso:

— Eu já tinha avisado a polícia sobre o homem na

calçada. Eles disseram que, desde que não seja um ladrão, não é problema deles.

Eu não deixei que o homem terminasse de falar. Voltei até os guardas, convencido de que sabiam quem eu era, que escrevia em jornais, aparecia em televisão. Voltei com a falsa impressão de que o sucesso, em alguns momentos, ajuda a resolver muitas coisas.

— O senhor é alguma autoridade? — perguntou um deles, notando que eu pedia ajuda de maneira mais incisiva.

Não tinham ideia de quem eu fosse.

— Não. Mas nós vamos resolver este problema agora.

Eu estava malvestido, camiseta manchada com o sangue do homem, bermudas cortadas de uma antiga calça jeans, suado. Eu era um homem comum, anônimo, sem qualquer autoridade além do meu cansaço de ver gente deitada no chão, durante dezenas de anos de minha vida, sem jamais ter feito absolutamente nada.

E isso mudou tudo. Tem um momento em que você está além de qualquer bloqueio ou medo. Tem um momento em que seus olhos ficam diferentes, e as pessoas entendem que você está falando sério. Os guardas foram comigo, e chamaram a ambulância.

Na volta para casa, recordei as três lições daquela caminhada:

a) todo mundo pode parar uma ação quando ela ainda é puro romantismo; b) sempre há alguém para dizer: "agora que começaste, vai até o final". E, finalmente, c) todo mundo é autoridade, quando está absolutamente convencido do que faz.

O tijolo que faltava

Durante uma viagem, recebi um fax de minha secretária.

"Ficou faltando um tijolo de vidro para a reforma da cozinha", dizia ela. "Envio o projeto original, e o jeito que o pedreiro dará para compensar a falta."

De um lado, havia o desenho que minha mulher fizera: fileiras harmoniosas, com abertura para a ventilação. Do outro lado, o projeto que resolvia a falta do tijolo: um verdadeiro quebra-cabeça, onde os quadrados de vidro se misturavam sem qualquer estética.

"Comprem o tijolo que falta", escreveu minha mulher. Assim foi feito, e o desenho original foi mantido.

Naquela tarde, fiquei pensando muito tempo no ocorrido; quantas vezes, pela falta de um simples tijolo, deturpamos completamente o projeto original de nossas vidas.

Raj me conta uma história

A viúva de uma pobre aldeia em Bengala não tinha dinheiro para pagar o ônibus para seu filho, de modo que o garoto, quando foi matriculado num colégio, iria ter de atravessar, sozinho, uma floresta. Para tranquilizá-lo, ela disse:

— Não tenha medo da floresta, meu filho. Peça ao seu deus Krishna para acompanhá-lo. Ele escutará sua oração.

O garoto fez o que a mãe dizia; Krishna apareceu, e passou a levá-lo todos os dias à escola.

Quando chegou o dia do aniversário do professor, o menino pediu à mãe algum dinheiro para levar um presente.

— Não temos dinheiro, filho. Peça ao seu irmão Krishna para arranjar um presente.

No dia seguinte, o menino contou seu problema a Krishna. Este deu-lhe uma jarra cheia de leite.

Animado, o menino entregou a jarra ao professor. Mas, como os outros presentes eram mais bonitos, o mestre não deu a menor atenção.

— Leva esta jarra para a cozinha — disse o professor para um assistente.

O assistente fez o que lhe fora mandado. Ao tentar esvaziar a jarra, porém, notou que ela tornava a encher-se sozinha. Imediatamente, foi comunicar o fato ao professor que, aturdido, perguntou ao menino:

— Onde arranjou esta jarra, e qual é o truque que a mantém cheia?

— Quem me deu foi Krishna, o deus da floresta.

O mestre, os alunos, o ajudante, todos riram.

— Não há deuses na floresta, isso é superstição! — disse o mestre. — Se ele existe, vamos lá fora para vê-lo!

O grupo inteiro saiu. O menino começou a chamar por Krishna, mas este não aparecia. Desesperado, ele fez uma última tentativa:

— Irmão Krishna, meu mestre quer vê-lo. Por favor, apareça!

Nesse momento, escutou-se da floresta uma voz, que ecoou por todos os cantos:

— Como é que ele deseja me ver, meu filho? Ele nem sequer acredita que eu existo!

O outro lado da Torre de Babel

Passei a manhã inteira explicando que meus interesses não são exatamente os museus e as igrejas, mas os habitantes do país — e, desta maneira, seria muito melhor que fôssemos até o mercado. Mesmo assim, eles insistem; é feriado, o mercado está fechado.

— Aonde vamos?

— A uma igreja.

Eu sabia.

— Hoje celebram um santo muito especial para nós, e com toda certeza para você também. Vamos visitar o túmulo desse santo. Mas não faça perguntas, e aceite que às vezes podemos ter boas surpresas para escritores.

— Quanto tempo de viagem?

— Vinte minutos.

Vinte minutos é a resposta padrão: claro que sei que vai demorar muito mais do que isso. Mas até hoje eles respeitaram tudo que tinha pedido, melhor ceder desta vez.

Estou em Yerevan, na Armênia, nesta manhã de domingo. Entro resignado no carro, vejo o monte Ararat coberto de neve ao longe, contemplo a paisagem ao meu redor. Oxalá eu pudesse estar caminhando por ali, ao invés de ficar trancado nesta lata de metal. Meus anfitriões tentam ser gentis, mas estou distraído, aceitando estoicamente o "programa turístico especial". Eles terminam deixando a conversa morrer, e seguimos em silêncio.

Cinquenta minutos depois (eu sabia!) chegamos a uma pequena cidade e nos dirigimos para a igreja lotada. Vejo que estão todos de terno e gravata, uma ocasião formalíssima, e sinto-me ridículo porque visto apenas camiseta e jeans. Saio do carro, pessoas da União de Escritores estão me esperando, entregam-me uma flor, me conduzem pelo meio da multidão que está assistindo à missa, descemos uma escada por detrás do altar, e vejo-me diante de um túmulo. Entendo que ali deve estar enterrado o santo, mas, antes de colocar a flor, quero saber exatamente a quem estou homenageando.

— O Santo Tradutor — é a resposta.

O Santo Tradutor! Na mesma hora os meus olhos se enchem de lágrimas.

O dia 9 de outubro de 2004, a cidade se chama Oshakan, e a Armênia, pelo que eu saiba, é o único lugar do mundo que declara feriado nacional e celebra em grande estilo o Dia do Santo Tradutor, São Mesrob. Além de criar o alfabeto armênio (a língua já existia, mas apenas sob forma oral), dedicou sua vida passando para seu idioma natal os mais importantes textos da época — que eram escritos em grego, persa ou cirílico. Ele e seus discípulos se dedicaram à tarefa gigantesca de traduzir a Bíblia e os principais clássicos da literatura de seu tempo. A partir daquele momento, a cultura do país ganhou sua própria identidade, que se mantém até hoje.

O Santo Tradutor. Eu seguro a flor em minhas mãos, penso em todas as pessoas que nunca conheci, e que talvez jamais tenha a oportunidade de encontrar, mas que neste momento estão com meus livros nas mãos, procurando dar o melhor de si para manter a fidelidade do que procurei dividir com os meus leitores. Mas penso, sobretudo, em meu sogro, Christiano Monteiro Oiticica, profissão: tradutor. Que está hoje em companhia dos anjos e de São Mesrob, assistindo a esta cena. Lembro-me dele grudado à sua velha máquina de escrever, muitas vezes se queixando de como seu trabalho era mal pago (o que infelizmente é verdade até hoje). Logo em seguida, explicava que o verdadeiro motivo de continuar naquela tarefa era seu entusiasmo de dividir um conhecimento que, se não fosse pelos tradutores, jamais chegaria até seu povo.

Faço uma prece silenciosa por ele, por todos aqueles que me ajudaram com meus livros, e pelos que me permitiram ler obras às quais jamais teria acesso, ajudando, dessa maneira — anonimamente —, a formar minha vida e meu caráter. Quando saio da igreja, vejo crianças desenhando o alfabeto, doces em formas de letras, flores, e mais flores.

Quando o homem mostrou sua arrogância, Deus destruiu a Torre de Babel e todos passaram a falar línguas diferentes. Mas em Sua infinita graça, criou também um tipo de gente que iria reconstruir essas pontes, permitir o diálogo e a difusão do pensamento humano. Esse homem (ou mulher) de quem raramente nos damos ao trabalho de saber o nome quando abrimos um livro estrangeiro: o tradutor.

Antes de uma conferência

Uma escritora chinesa e eu nos preparávamos para falar em um encontro de livreiros americanos. A chinesa, extremamente nervosa, comentava comigo:

— Falar em público já é difícil, imagine então ser obrigada a explicar seu livro usando outro idioma!

Pedi que parasse, ou também iria ficar nervoso, pois seu problema era igual ao meu. De repente virou-se para trás, sorriu, e me disse baixinho:

— Tudo vai correr bem, não se preocupe. Não estamos sós: olha o nome da livraria da mulher sentada atrás de mim.

No crachá da mulher estava escrito: "Livraria dos Anjos Reunidos". Tanto eu como ela conseguimos fazer uma excelente apresentação de nossos trabalhos, porque os anjos nos deram o sinal que estávamos esperando.

Sobre a elegância

Às vezes eu me surpreendo com os ombros curvados; e, sempre que estou assim, tenho certeza de que algo não está bem. Nesse momento, antes mesmo de procurar a razão do que me incomoda, procuro mudar minha postura — torná-la mais elegante. Ao colocar-me de novo em posição ereta, dou-me conta de que esse simples gesto me ajudou a ter mais confiança no que estou fazendo.

Elegância é geralmente confundida com superficialidade, moda, falta de profundidade. Isso é um grave erro: o ser humano precisa ter elegância em suas ações e em sua postura, porque essa palavra é sinônimo de bom gosto, amabilidade, equilíbrio e harmonia.

É preciso ter serenidade e elegância para dar os passos mais importantes na vida. Claro, não vamos ficar delirando, preocupados o tempo inteiro com a maneira como movemos as mãos, sentamos, sorrimos, olhamos ao redor; mas é bom saber que nosso corpo fala uma linguagem, e a outra pessoa — mesmo inconscientemente — está entendendo o que dizemos além das palavras.

A serenidade vem do coração. Embora muitas vezes torturado por pensamentos de insegurança, ele sabe que, por meio da postura correta, pode tornar a equilibrar-se. A elegância física, à qual estou me referindo neste artigo vem do corpo, e não é uma coisa superficial, mas a maneira que o homem encontrou para honrar a maneira com que coloca seus dois pés sobre a terra. Por isso, quando às vezes você sentir que a postura o está incomodando, não pense que ela é falsa ou artificial: ela é verdadeira porque é difícil. Ela faz com que o caminho sinta-se honrado pela dignidade do peregrino.

E, por favor, nada de confundi-la com arrogância ou esnobismo. A elegância é a postura mais adequada para que o gesto seja perfeito, o passo seja firme, o seu próximo seja respeitado.

A elegância é atingida quando todo o supérfluo é descartado, e o ser humano descobre a simplicidade e a concentração: quanto mais simples e mais sóbria a postura, mais bela ela será.

A neve é bonita porque tem apenas uma cor, o mar é bonito porque parece uma superfície plana — mas tanto o mar como a neve são profundos e conhecem suas qualidades.

Caminhe com firmeza e alegria, sem medo de tropeçar. Todos os movimentos estão sendo acompanhados pelos seus aliados, que o ajudarão no que for necessário. Mas não esqueça que o adversário também está observando, e conhece a diferença entre a mão firme e a mão trêmula: portanto, se estiver tenso, respire fundo, acredite que está tranquilo — e, por um desses milagres que não sabemos explicar, a tranquilidade logo se instala.

No momento em que você toma uma decisão e a coloca em marcha, procure rever mentalmente cada etapa que o levou a preparar seu passo. Mas faça isso sem tensão, porque é impossível ter todas as regras na cabeça: e com o espírito livre, à medida que revê cada etapa, irá dar-se conta dos momentos mais difíceis, e de como os superou. Isso irá se refletir em seu corpo, portanto preste atenção!

Fazendo uma analogia com o tiro com arco: muitos arqueiros se queixam de que, apesar de praticarem por anos a arte do tiro, ainda sentem o coração disparar de ansiedade, a mão tremer, a pontaria falhar. A arte do tiro faz com que nossos erros sejam mais evidentes.

No dia em que você estiver sem amor pela vida, seu tiro será confuso, complicado. Verá que está sem força suficiente para esticar ao máximo a corda, que não consegue fazer o arco curvar-se como deve.

E, ao ver que seu tiro é confuso naquela manhã, vai tentar descobrir o que provocou tamanha imprecisão: isso fará com que enfrente um problema que o incomoda, mas que até então encontrava-se oculto.

Você descobriu esse problema porque seu corpo estava mais envelhecido, menos elegante. Mude a postura, relaxe a testa, estique a coluna, enfrente o mundo de peito aberto; ao pensar no seu corpo, você também está pensando em sua alma, e uma coisa ajudará a outra.

Nhá Chica de Baependi

O que é um milagre?

Existem definições de todos os tipos: algo que vai contra as leis da natureza, intercessões em momentos de crise profunda, coisas cientificamente impossíveis etc.

Eu tenho minha própria definição: milagre é aquilo que enche o nosso coração de paz. Às vezes se manifesta sob a forma de uma cura, de um desejo atendido, não importa — o resultado é que, quando o milagre acontece, sentimos uma profunda reverência pela graça que Deus nos concedeu.

Há vinte e tantos anos, quando eu vivia meu período hippie, minha irmã me convidou para ser padrinho de sua primeira filha. Adorei o convite, fiquei contente que ela não me pediu para que cortasse os cabelos (naquela época, chegavam até a cintura), nem me exigiu um presente caro para a afilhada (eu não teria como comprar).

A filha nasceu, o primeiro ano se passou, e o batizado não acontecia nunca. Achei que minha irmã tinha mudado de ideia, fui perguntar o que havia acontecido, e ela respondeu:

— Você continua padrinho. Acontece que eu fiz uma promessa para Nhá Chica, e quero batizá-la em Baependi, porque ela me concedeu uma graça.

Não sabia onde era Baependi, e jamais tinha escutado falar de Nhá Chica. O período hippie passou, eu me tornei executivo de gravadora, minha irmã teve outra filha, e nada de batizado.

Finalmente, em 1978, a decisão foi tomada, e as duas famílias — dela e de seu ex-marido — foram a Baependi. Ali eu descobri que a tal Nhá Chica, que não tinha dinheiro nem para seu próprio sustento, havia passado trinta anos construindo uma igreja e ajudando os pobres.

Eu vinha de um período muito turbulento em minha vida, e já não acreditava mais em Deus. Ou, melhor dizendo, já não achava que procurar o mundo espiritual tinha muita importância: o que contava eram as coisas deste mundo, e os resultados que pudesse conseguir. Tinha abandonado meus sonhos loucos da juventude — entre os quais, ser escritor — e não pretendia voltar a ter ilusões. Estava ali naquela igreja apenas para cumprir um dever social; enquanto esperava a hora do batizado, comecei a passear pelos arredores, e terminei entrando na humilde casa de Nhá Chica, ao lado da igreja. Dois cômodos e um pequeno altar, com algumas imagens de santos e um vaso com duas rosas vermelhas e uma branca.

Num impulso, diferente de tudo o que eu pensava na época, fiz um pedido: *Se, algum dia, eu conseguir ser o escritor que queria ser e já não quero mais, voltarei aqui quando tiver cinquenta anos, e trarei duas rosas vermelhas e uma branca.*

Apenas para me lembrar do batizado, comprei um retrato de Nhá Chica. Na volta para o Rio, o desastre: um ônibus para subitamente na minha frente, eu desvio o carro numa fração de segundo, o meu cunhado também consegue desviar, o carro que vem atrás se choca, há uma explosão, vários mortos. Estacionamos na beira da estrada, sem saber o que fazer. Eu procuro no bolso um cigarro, e vem o retrato de Nhá Chica. Silencioso em sua mensagem de proteção.

Ali começava minha jornada de volta aos sonhos, à busca espiritual, à literatura, e um dia eu me vi de novo no Bom Combate, aquele que você trava com o coração cheio de paz, porque é resultado de um milagre. Nunca me esqueci das três rosas. Finalmente, os cinquenta anos — que naquela época pareciam tão distantes — terminaram chegando.

E quase passam. Durante a Copa do Mundo, fui a Baependi pagar minha promessa. Alguém me viu chegando a Caxambu (onde pernoitei), e um jornalista veio me entrevistar. Quando eu contei o que estava fazendo ali, ele pediu:

— Fale sobre Nhá Chica. O corpo dela foi exumado esta semana, e o processo de beatificação está no Vaticano. As pessoas precisam dar seu testemunho.

— Não — disse eu. — É uma história muito íntima. Só falaria se recebesse um sinal.

E pensei comigo mesmo: “O que seria um sinal? Só mesmo se alguém falasse em nome dela!”.

No dia seguinte, peguei o carro, as flores, e fui a Baependi. Parei um pouco distante da igreja, lembrando do executivo de gravadora que estivera ali tanto tempo antes, e das muitas coisas que tinham me conduzido de volta. Quando ia entrando na casa, uma mulher jovem saiu de uma loja de roupas:

— Vi que seu livro *Maktub* é dedicado a Nhá Chica — disse ela. — Garanto que ela ficou contente.

E não me pediu nada. Mas aquele era o sinal que eu estava esperando. E este é o depoimento público que eu precisava dar.

Reconstruindo a casa

Um conhecido meu, por sua incapacidade de combinar o sonho com a realização, terminou com sérios problemas financeiros. E pior: envolveu outras pessoas, prejudicando gente que não queria ferir.

Sem poder pagar as dívidas que se acumulavam, chegou a pensar em suicídio. Caminhava por uma rua certa tarde, quando viu uma casa em ruínas. "Aquele prédio ali sou eu", pensou. Nesse momento, sentiu um imenso desejo de reconstruir aquela casa.

Descobriu o dono, ofereceu-se para fazer uma reforma — e foi atendido, embora o proprietário não entendesse o que o meu amigo iria ganhar com aquilo. Juntos, conseguiram tijolos, madeira, cimento. Meu conhecido trabalhou com amor, sem saber por que ou para quem. Mas sentia que sua vida pessoal ia melhorando à medida que a reforma avançava.

No fim de um ano, a casa estava pronta. E seus problemas pessoais, solucionados.

A oração que eu esqueci

Andando pelas ruas de São Paulo há três semanas, recebi de um amigo — Edinho — um panfleto chamado "Instante Sagrado". Impresso em quatro cores, em excelente papel, ele não identificava nenhuma igreja ou culto, apenas trazia uma oração no seu verso.

Qual não foi minha surpresa ao ver que quem assinava essa oração era — EU! Ela havia sido publicada no início da década de oitenta, na contracapa de um livro de poesia. Não pensei que resistiria ao tempo, nem que pudesse retornar às minhas mãos de maneira tão misteriosa; mas, quando a reli, não me envergonhei do que havia escrito.

Já que estava naquele panfleto, e já que acredito em sinais, achei oportuno reproduzi-la aqui. Espero estimular cada leitor a escrever sua própria prece, pedindo para si e para os outros aquilo que julga mais importante. Dessa maneira, colocamos uma vibração positiva em nosso coração, e ela há de contagiar tudo o que nos cerca.

Eis a oração:

"Senhor, protegei as nossas dúvidas, porque a Dúvida é uma maneira de rezar. É ela que nos faz crescer, porque nos obriga a olhar sem medo para as muitas respostas de uma mesma pergunta. E, para que isto seja possível,

Senhor, protegei as nossas decisões, porque a Decisão é uma maneira de rezar. Dai-nos coragem para, depois da dúvida, sermos capazes de escolher entre um caminho e o outro. Que o nosso SIM seja sempre um SIM, e o nosso NÃO seja sempre um NÃO. Que, uma vez escolhido o caminho, jamais olhemos para trás, nem deixemos que nossa alma seja roída pelo remorso. E, para que isto seja possível,

Senhor, protegei as nossas ações, porque a Ação é uma maneira de rezar. Fazei com que o pão nosso de cada dia seja fruto do melhor que levamos dentro de nós mesmos. Que possamos, através do trabalho e da Ação, compartilhar um pouco do amor que recebemos. E, para que isto seja possível,

Senhor, protegei os nossos sonhos, porque o Sonho é uma maneira de rezar. Fazei com que, independentemente de nossa idade ou de nossa circunstância, sejamos capazes de manter acesa no coração a chama sagrada da esperança e da perseverança. E, para que isto seja possível,

Senhor, dai-nos sempre entusiasmo, porque o Entusiasmo é uma maneira de rezar. É ele que nos liga aos Céus e à Terra, aos homens e às crianças, e nos diz que o desejo é importante, e merece o nosso esforço. É ele que nos afirma que tudo é possível, desde que estejamos totalmente comprometidos com o que fazemos. E, para que isto seja possível,

Senhor, protegei-nos, porque a Vida é a única maneira que temos para manifestar o Teu milagre. Que a terra continue transformando a semente em trigo, que nós continuemos transmutando o trigo em pão. E isto só é possível se tivermos Amor — portanto, nunca nos deixe em solidão. Dai-nos sempre a Tua companhia, e a companhia de homens e mulheres que têm dúvidas, agem, sonham, se entusiasmam, e vivem como se cada dia fosse totalmente dedicado à Tua glória.

Amém."

Copacabana, Rio de Janeiro

Eu e minha mulher a encontramos na esquina da Rua Constante Ramos, em Copacabana. Tinha aproximadamente sessenta anos, estava numa cadeira de rodas, perdida no meio da multidão. Minha mulher ofereceu-se para ajudá-la: ela aceitou, pedindo que a levássemos até a Rua Santa Clara.

Alguns sacos plásticos pendiam da cadeira de rodas. No caminho, nos contou que aqueles eram todos os seus pertences; dormia sob as marquises, e vivia da caridade alheia.

Chegamos ao lugar indicado; ali estavam reunidos outros mendigos. A mulher tirou de um dos sacos plásticos dois pacotes de leite longa vida, e os distribuiu para o grupo.

— Fazem caridade comigo, preciso fazer caridade com os outros — foi seu comentário.

Viver sua própria lenda

Creio que cada página deste livro é lida em aproximadamente três minutos. Pois bem: segundo as estatísticas, nesse espaço de tempo irão morrer três mil pessoas, e outras 6200 nascerão.

Talvez eu demore meia hora para escrevê-la: estou concentrado no meu computador, com livros ao meu lado, ideias na cabeça, carros passando lá fora. Tudo parece absolutamente normal à minha volta; entretanto, durante esses trinta minutos, trinta mil pessoas morreram, e 62 mil acabam de ver, pela primeira vez, a luz do mundo.

Onde estarão esses milhares de famílias que apenas começaram a chorar a perda de alguém, ou rir com a chegada de um filho, neto, irmão?

Paro e reflito um pouco: talvez muitas dessas mortes estejam chegando ao final de uma longa e dolorosa enfermidade, e certas pessoas estão aliviadas com o Anjo que veio buscá-las. Além do mais, com toda certeza, centenas dessas crianças que acabam de nascer serão abandonadas no próximo minuto, e passarão para a estatística de morte antes que eu termine este texto.

Que coisa. Uma simples estatística, que olhei por acaso, e de repente estou sentindo essas perdas e esses encontros, esses sorrisos e essas lágrimas. Quantos estão deixando esta vida sozinhos, em seus quartos, sem que ninguém se dê conta do que está acontecendo? Quantos nascerão escondidos, e serão abandonados na porta de asilos ou conventos?

Reflito: já fui parte da estatística de nascimentos, e um dia serei incluído no número de mortos. Que bom: eu tenho plena consciência de que vou morrer. Desde que fiz o Caminho de Santiago, entendi que — embora a vida continue, e sejamos todos eternos — esta existência vai acabar um dia.

As pessoas pensam muito pouco na morte. Passam suas vidas preocupadas com verdadeiros absurdos, adiam coisas, deixam de lado momentos importantes. Não arriscam, porque acham que é perigoso. Reclamam muito, mas se acovardam na hora de tomar providências. Querem que tudo mude, mas elas mesmas se recusam a mudar.

Se pensassem um pouco mais na morte, não deixariam jamais de dar o telefonema que está faltando. Seriam um pouco mais loucas. Não iriam ter medo do fim desta encarnação — porque não se pode temer algo que vai acontecer de qualquer jeito.

Os índios dizem: "Hoje é um dia tão bom quanto qualquer outro para deixar este mundo". E um bruxo comentou certa vez: "Que a morte esteja sempre sentada ao seu lado. Assim, quando você precisar fazer coisas importantes, ela lhe dará a força e a coragem necessárias".

Espero que você, leitor, tenha chegado até aqui. Seria uma bobagem assustar-se com o título, porque todos nós, cedo ou tarde, vamos morrer. E só quem aceita isso está preparado para a vida.

A importância do gato na meditação

Tendo escrito *Veronika decide morrer*, um livro sobre a loucura, vi-me obrigado a perguntar o quanto das coisas que fazemos nos foi imposto por necessidade, ou por absurdo. Por que usamos gravata? Por que o relógio gira no "sentido horário"? Se vivemos num sistema decimal, por que o dia tem 24 horas de sessenta minutos cada?

O fato é que muitas das regras a que obedecemos hoje em dia não têm nenhum fundamento. Mesmo assim, se desejamos agir diferente, somos considerados "loucos" ou "imaturos".

Enquanto isso, a sociedade vai criando alguns sistemas que, no decorrer do tempo, perdem a razão de ser, mas continuam impondo suas regras. Uma interessante história japonesa ilustra o que quero dizer:

"Um grande mestre zen-budista, responsável pelo mosteiro de Mayu Kagi, tinha um gato, que era sua verdadeira paixão na vida. Assim, durante as aulas de meditação, mantinha o gato ao seu lado — para desfrutar o mais possível de sua companhia.

Certa manhã, o mestre — que já estava bastante velho — apareceu morto. O discípulo mais graduado ocupou seu lugar.

— O que vamos fazer com o gato? — perguntaram os outros monges.

Numa homenagem à lembrança de seu antigo instrutor, o novo mestre decidiu permitir que o gato continuasse frequentando as aulas de zen-budismo.

Alguns discípulos de mosteiros vizinhos, que viajavam muito pela região, descobriram que, num dos mais afamados templos do local, um gato participava das meditações. A história começou a correr.

Muitos anos se passaram. O gato morreu, mas os alunos do mosteiro estavam tão acostumados com a sua presença que arranjaram outro gato. Enquanto isso, os outros templos começaram a introduzir gatos em suas meditações: acreditavam que o gato era o verdadeiro responsável pela fama e pela qualidade do ensino de Mayu Kagi, e esqueciam-se de que o antigo mestre era um excelente instrutor.

Uma geração se passou, e começaram a surgir tratados técnicos sobre a importância do gato na meditação zen. Um professor universitário desenvolveu uma tese — aceita pela comunidade acadêmica — demonstrando que o felino tinha capacidade de aumentar a concentração humana, e eliminar as energias negativas.

E assim, durante um século, o gato foi considerado parte essencial no estudo do zen-budismo naquela região.

Até que apareceu um mestre que tinha alergia a pelos de animais domésticos, e resolveu tirar o gato de suas práticas diárias com os alunos.

Houve uma grande reação negativa — mas o mestre insistiu. Como era um excelente instrutor, os alunos continuavam com o mesmo rendimento escolar, apesar da ausência do gato.

Pouco a pouco, os mosteiros — sempre em busca de ideias novas, e já cansados de ter de alimentar tantos gatos — foram eliminando os animais das aulas. Em vinte anos, começaram a surgir novas teses revolucionárias — com títulos convincentes como 'A importância da meditação sem o gato', ou 'Equilibrando o Universo zen apenas pelo poder da mente, sem a ajuda de animais'.

Mais um século se passou, e o gato saiu por completo do ritual de meditação zen naquela região. Mas foi preciso duzentos anos para que tudo voltasse ao normal — já que ninguém se perguntou, durante todo esse tempo, por que o gato estava ali."

E quantos de nós, em nossas vidas, ousamos perguntar: por que tenho de agir desta maneira? Até que ponto, naquilo que fazemos, estamos usando "gatos" inúteis, que não temos coragem de eliminar, porque nos disseram que os "gatos" eram importantes para que tudo funcionasse bem?

Por que, neste último ano do milênio, não buscamos uma maneira diferente de agir?

Não posso entrar

Perto de Olite, na Espanha, existe um castelo em ruínas. Resolvo visitá-lo e, quando já estou diante dele, um senhor na porta me diz:

— Não pode entrar.

Minha intuição me garante que ele está me proibindo pelo prazer de proibir. Explico que venho de longe, tento dar uma gorjeta, ser simpático, digo que aquilo é um castelo em ruínas — de repente, entrar naquele castelo se tornou muito importante para mim.

— Não pode entrar — repete o senhor.

Resta apenas uma alternativa: seguir adiante, e esperar que me impeça fisicamente. Me dirijo para a porta. Ele me olha, mas não faz nada.

Quando saio, duas turistas se aproximam e entram. O velho não tenta impedi-las. Sinto que, graças à minha resistência, o velho resolveu parar de criar regras absurdas. Às vezes, o mundo nos pede para lutar por coisas que não conhecemos, por razões que jamais vamos descobrir.

Estatutos do novo milênio

1) Todos os homens são diferentes. E devem fazer o possível para continuar sendo.

2) A todo ser humano foram concedidas duas maneiras de agir: a ação e a contemplação. Ambas levam ao mesmo lugar.

3) A todo ser humano foram concedidas duas qualidades: o poder e o dom. O poder dirige o homem ao encontro com o seu destino; o dom o obriga a dividir com os outros o que há de melhor em si mesmo.

4) A todo ser humano foi dada uma virtude: a capacidade de escolher. Aquele que não utiliza essa virtude a transforma em uma maldição e outros escolherão por ele.

5) Todo ser humano tem direito a duas bênçãos, a saber: a bênção de acertar e a bênção de errar. No segundo caso, sempre existe um aprendizado que o conduzirá ao caminho certo.

6) Todo ser humano tem um perfil sexual próprio, e deve exercê-lo sem culpa, desde que não obrigue os outros a exercê-lo com ele.

7) Todo ser humano tem uma Lenda Pessoal a ser cumprida e esta é a sua razão de estar neste mundo. A

Lenda Pessoal manifesta-se por meio do entusiasmo com sua tarefa.

Parágrafo único: Pode-se abandonar por certo tempo a Lenda Pessoal, desde que não se esqueça dela, e volte assim que for possível.

8) Todo homem tem o seu lado feminino e toda mulher tem o seu lado masculino. É necessário usar a disciplina com intuição e usar a intuição com objetividade.

9) Todo ser humano precisa conhecer duas linguagens: a linguagem da sociedade e a linguagem dos sinais. Uma serve para a comunicação com os outros. A outra serve para entender as mensagens de Deus.

10) Todo ser humano tem direito à busca da alegria, e entende-se por alegria algo que o deixa contente — não necessariamente aquilo que deixa os outros contentes.

11) Todo ser humano deve manter viva dentro de si a sagrada chama da loucura. E deve comportar-se como uma pessoa normal.

12) São considerados faltas graves apenas os seguintes itens: não respeitar o direito do próximo, deixar-se paralisar pelo medo, sentir-se culpado, achar que não merece o bem e o mal que lhe acontecem na vida, e ser covarde.

Parágrafo 1: Amaremos nossos inimigos, mas não faremos alianças com eles. Foram colocados no nosso caminho para testar nossa espada, e merecem o respeito de nossa luta.

Parágrafo 2: Escolheremos nossos inimigos.

13) Todas as religiões levam ao mesmo Deus, e todas merecem o mesmo respeito.

Parágrafo único: Um homem que escolhe uma religião também está escolhendo uma maneira coletiva de adorar e compartilhar os mistérios. Entretanto, ele é o único responsável por suas ações no caminho e não tem o direito de transferir para a religião a responsabilidade de suas decisões.

14) Fica decretado o fim do muro que separa o sagrado do profano: a partir de agora, tudo é sagrado.

15) Tudo que é feito no presente afeta o futuro por consequência, e o passado por redenção.

16) Revogam-se as disposições em contrário.

Destruindo e reconstruindo

Sou convidado a ir a Guncan-Gima, onde existe um templo zen-budista. Quando chego lá, fico surpreso: a belíssima estrutura está situada no meio de uma imensa floresta, mas com um gigantesco terreno baldio ao lado.

Pergunto a razão daquele terreno, e o encarregado explica:

— É o local da próxima construção. A cada vinte anos, destruímos este templo que você está vendo, e o reconstruímos ao lado.

"Dessa maneira, os monges carpinteiros, pedreiros e arquitetos têm possibilidade de estar sempre exercendo suas habilidades, e de ensiná-las — na prática — aos seus aprendizes. Mostramos também que nada na vida é eterno — e que até mesmo os templos estão num processo de constante aperfeiçoamento."

O guerreiro e a fé

Henry James compara a experiência a uma imensa teia de aranha, espalhada à nossa volta — que é capaz de pegar não só aquilo que é necessário, mas também a poeira que está no ar.

Muitas vezes o que chamamos "experiência" nada mais é do que a soma de nossas derrotas. Então, olhamos para a frente com o medo de quem já cometeu bastante equívoco na vida — e não temos coragem de dar o próximo passo.

Nesse momento é bom lembrar as palavras de Lord Salisbury: "Se você acreditar totalmente nos médicos, vai achar que tudo faz mal à saúde. Se acreditar totalmente nos teólogos, vai se convencer de que tudo é pecado. Se acreditar totalmente nos militares, concluirá que nada é absolutamente seguro".

É preciso aceitar as paixões, e não renunciar ao entusiasmo das conquistas; elas fazem parte da vida, e alegram a todos que delas participam. Mas o Guerreiro da Luz jamais perde de vista as coisas duradouras, e os laços criados com solidez através do tempo: sabe distinguir o que é passageiro, e o que é definitivo.

Existe um momento, entretanto, em que as paixões desaparecem sem aviso. Apesar de toda a sua sabedoria, ele se deixa dominar pelo desânimo: de uma hora para outra, a fé já não é a mesma de antes, as coisas não ocorrem como sonhava, as tragédias surgem de maneira injusta e inesperada, e ele passa a acreditar que suas preces já não são mais ouvidas.

Continua rezando e frequentando os cultos de sua religião, mas não consegue se enganar; o coração não responde como antes, e as palavras parecem não ter sentido.

Nesse momento, só existe um caminho possível: continuar praticando. Fazer as preces por obrigação, ou por medo, ou seja lá por que motivo for — mas continuar rezando. Insistir, mesmo que tudo pareça inútil.

O anjo encarregado de recolher suas palavras — e que é também responsável pela alegria da fé — está dando um passeio. Mas volta logo, e só vai saber localizá-lo se escutar uma prece ou um pedido em seus lábios.

Diz a lenda que, após uma exaustiva sessão matinal de orações no monastério de Piedra, o noviço perguntou ao abade se as orações faziam com que Deus se aproximasse dos homens.

— Vou lhe responder com outra pergunta — disse o abade. — Todas essas orações que você faz irão fazer o sol nascer amanhã?

— Claro que não! O sol nasce porque obedece a uma lei universal!

— Então, essa é a resposta à sua pergunta. Deus está perto de nós, independentemente das preces que fazemos.

O noviço revoltou-se:

— O senhor quer dizer que nossas orações são inúteis?

— Absolutamente. Se você não acordar cedo, nunca conseguirá ver o sol nascendo. Se não rezar, embora Deus esteja sempre perto, você nunca conseguirá notar Sua presença.

Orar e vigiar: esse deve ser o lema do Guerreiro da Luz. Se apenas vigiar, vai começar a ver fantasmas onde eles não existem. Se apenas orar, não terá tempo de executar as obras de que o mundo tanto necessita.

Conta outra lenda, desta vez do "Verba Seniorum", que o abade Pastor costumava dizer que o abade João havia rezado tanto que não precisava mais se preocupar — suas paixões haviam sido vencidas.

As palavras do abade Pastor terminaram chegando aos ouvidos de um dos sábios do mosteiro de Sceta. Este chamou os noviços depois da ceia.

— Vocês têm escutado dizer que o abade João não tem mais tentações a vencer — disse ele. — A falta de luta enfraquece a alma. Vamos pedir ao Senhor que envie uma tentação bem poderosa para o abade João; e, se ele vencer essa tentação, vamos pedir outra e mais outra. E, quando ele estiver de novo lutando contra as tentações, vamos rezar para que ele jamais diga "Senhor, afasta de mim este demônio". Vamos rezar para que ele peça: "Senhor, dai-me força para enfrentar o mal".

No porto de Miami

— Às vezes a gente se acostuma com o que vê nos filmes, e termina esquecendo a verdadeira história — diz um amigo, enquanto olhamos juntos o porto de Miami. — Lembra-se de *Os Dez Mandamentos*?

— Claro que me lembro. Moisés — Charlton Heston — em determinado momento levanta seu bastão, as águas se dividem, e o povo hebreu atravessa a grande água.

— Na Bíblia é diferente — comenta meu amigo. — Ali, Deus ordena a Moisés: "Diz aos filhos de Israel que marchem". E só depois que começam a andar é que Moisés levanta o bastão, e o mar Vermelho se abre.

"Só a coragem no caminho faz com que o caminho se manifeste."

Agindo no impulso

O padre Zeca, da Igreja da Ressurreição em Copacabana, conta que estava num ônibus e de repente escutou uma voz dizendo que ele devia levantar-se e pregar a palavra de Cristo ali mesmo.

Zeca começou a conversar com a voz: "Vão me achar ridículo, isto não é lugar para sermão", disse. Mas algo dentro dele insistia em que era preciso falar. "Sou tímido, por favor não me peça isso", implorou.

O impulso interior persistia.

Então ele se lembrou de sua promessa — abandonar-se a todos os desígnios de Cristo. Levantou — morrendo de vergonha — e começou a falar do Evangelho. Todos escutaram em silêncio. Ele olhava cada passageiro, e eram raros os que desviavam os olhos. Disse tudo que sentia, terminou seu sermão, e sentou- se de novo.

Até hoje não sabe que tarefa cumpriu naquele momento. Mas tem absoluta certeza de que cumpriu uma tarefa.

Da glória transitória

Sic transit gloria mundi. Dessa maneira, São Paulo define a condição humana em uma de suas epístolas: a glória do mundo é transitória. E, mesmo sabendo disso, o homem sempre parte em busca do reconhecimento pelo seu trabalho. Por quê? Um dos maiores poetas brasileiros, Vinícius de Moraes, diz em uma de suas letras de música:

E no entanto é preciso cantar
Mais que nunca é preciso cantar.

Vinícius de Moraes é brilhante nessas frases. Lembrando Gertrude Stein, no seu verso "Uma rosa é uma rosa é uma rosa", apenas diz que é preciso cantar. Não dá explicações, não justifica, não usa metáforas. Quando me candidatei à Academia Brasileira de Letras, ao cumprir o ritual de entrar em contato com seus membros, ouvi do acadêmico Josué Montello algo semelhante. Disse-me ele: "Todo homem tem o dever de seguir a estrada que passa pela sua aldeia".

Por quê? O que existe nessa estrada?

Que força é essa que nos empurra para longe do conforto daquilo que é familiar, e nos faz enfrentar desafios, mesmo sabendo que a glória do mundo é transitória?

Creio que esse impulso se chama: a busca do sentido da vida.

Por muitos anos procurei nos livros, na arte, na ciência, nos perigosos ou confortáveis caminhos que percorri uma resposta definitiva para essa pergunta. Encontrei muitas, algumas que me convenceram por anos, outras que não resistiram a um só dia de análise; entretanto, nenhuma delas foi suficientemente forte para que agora eu pudesse dizer: o sentido da vida é este.

Hoje estou convencido de que tal resposta jamais nos será confiada nesta existência, embora, no final, no momento em que estivermos de novo diante do Criador, compreenderemos cada oportunidade que nos foi oferecida — e então aceita ou rejeitada.

Em um sermão de 1890, o pastor Henry Drummond fala desse encontro com o Criador. Diz ele:

"Neste momento, a grande pergunta do ser humano não será:

Como eu vivi? Será, isto sim: *Como amei?*

O teste final de toda busca é a dimensão de nosso Amor. Não será levado em conta o que fizemos, em que acreditamos, o que conseguimos.

Nada disso nos será cobrado, mas sim nossa maneira de amar o próximo. Os erros que cometemos nem sequer serão lembrados. Não seremos julgados pelo mal que fizemos, mas pelo bem que deixamos de fazer. Pois manter o Amor trancado dentro de si é ir contra o espírito de Deus, é a prova de que nunca O conhecemos, de que Ele nos amou em vão."

A glória do mundo é transitória, e não é ela que nos dá a dimensão de nossa vida — mas a escolha que fazemos, de seguir nossa Lenda Pessoal, acreditar em nossas utopias, e lutar por elas. Somos todos protagonistas de nossas existências, e muitas vezes são os heróis anônimos que deixam as marcas mais duradouras. Conta uma lenda japonesa que certo monge, entusiasmado pela beleza do livro chinês *Tao Te King*, resolveu levantar fundos para traduzir e publicar aqueles versos em sua língua pátria. Demorou dez anos até conseguir o suficiente.

Entretanto, uma peste assolou seu país, e o monge resolveu usar o dinheiro para aliviar o sofrimento dos doentes. Mas, assim que a situação se normalizou, de novo partiu para arrecadar a quantia necessária à publicação do *Tao*; mais dez anos se passaram, e quando já se preparava para imprimir o livro, um maremoto deixou centenas de pessoas desabrigadas.

O monge de novo gastou o dinheiro na reconstrução de casas para os que tinham perdido tudo. Outros dez anos correram, ele tornou a arrecadar o dinheiro, e finalmente o povo japonês pôde ler o *Tao Te King*.

Dizem os sábios que, na verdade, esse monge fez três edições do *Tao*: duas invisíveis, e uma impressa. Ele acreditou na sua utopia, combateu o bom combate, manteve a fé em seu objetivo, mas não deixou de prestar atenção ao seu semelhante. Que seja assim com todos nós: às vezes os livros invisíveis, nascidos da generosidade para com o próximo, são tão importantes quanto aqueles que ocupam nossas bibliotecas.

Da caridade ameaçada

Há algum tempo, minha mulher ajudou um turista suíço em Ipanema, que se dizia vítima de pivetes. Num sotaque carregado, falando péssimo português, afirmou estar sem passaporte, dinheiro, lugar para dormir.

Minha mulher pagou-lhe um almoço, deu-lhe a quantia necessária para que pudesse passar uma noite no hotel enquanto contactava sua embaixada, e foi embora. Dias depois, um jornal carioca noticiava que o tal "turista suíço" era na verdade mais um criativo malandro, fingindo um sotaque inexistente, abusando da boa-fé de pessoas que amam o Rio e desejam desfazer a imagem negativa — justa ou injusta — que tornou-se o nosso cartão-postal.

Ao ler a notícia, minha mulher fez apenas um comentário: "Não é isso que irá me impedir de ajudar ninguém".

Seu comentário me fez lembrar a história do sábio que, certa tarde, chegou à cidade de Akbar. As pessoas não deram muita importância à sua presença, e seus ensinamentos não conseguiram interessar a população. Depois de algum tempo, ele tornou-se motivo de riso e ironia dos habitantes da cidade.

Um dia, enquanto passeava pela rua principal de

Akbar, um grupo de homens e mulheres começou a insultá-lo. Ao invés de fingir que ignorava o que acontecia, o sábio foi até eles, e abençoou-os.

Um dos homens comentou:

— Será que, além de tudo, estamos diante de um homem surdo? Gritamos coisas horríveis, e o senhor nos responde com belas palavras!

— Cada um de nós só pode oferecer o que tem — foi a resposta do sábio.

As bruxas e o perdão

No dia 31 de outubro de 2004, aproveitando-se de uma lei feudal que foi abolida no mês seguinte, a cidade de Prestopans, na Escócia, concedeu o perdão oficial a 81 pessoas — e seus gatos — executadas por prática de bruxaria entre os séculos XVI e XVII.

Segundo a porta-voz oficial dos barões de Prestoungrange & Dolphinstoun, "a maioria tinha sido condenada sem nenhuma evidência concreta — com base apenas nas testemunhas de acusação, que declaravam sentir a presença de espíritos malignos".

Não vale a pena lembrar de novo todos os excessos da Inquisição, com suas câmaras de tortura e suas fogueiras em chamas de ódio e vingança. Mas há uma coisa que me intriga muito nesta notícia.

A cidade e o 14º barão de Prestoungrange & Dolphinstoun estão "concedendo perdão" às pessoas executadas brutalmente. Estamos em pleno século XXI, e os descendentes dos verdadeiros criminosos, aqueles que mataram inocentes, ainda se julgam no direito de "perdoar".

Enquanto isso, uma nova caça às bruxas começa a ganhar terreno. Desta vez, a arma não é mais o ferro em brasa, mas a ironia ou a repressão. Todos aqueles que, desenvolvendo um dom (geralmente descoberto por acaso), ousam falar de sua capacidade são na maior parte das vezes olhados com desconfiança ou proibidos, por seus pais, maridos, esposas, de dizer qualquer coisa a respeito. Por ter me interessado desde jovem por aquilo que chamam de "ciências ocultas", terminei entrando em contato com muitas dessas pessoas.

Acreditei em charlatões, claro. Dediquei meu tempo e meu entusiasmo a "mestres" que mais tarde deixaram cair a máscara, demonstrando o total vazio em que se encontravam. Participei irresponsavelmente de certas seitas, pratiquei rituais que me levaram a pagar um preço alto. Tudo isso em nome de uma busca absolutamente natural no homem: a resposta para o mistério da vida.

Mas encontrei também muita gente que realmente era capaz de lidar com forças que iam além da minha compreensão. Vi o tempo ser alterado, por exemplo. Vi operações sem anestesia, e em uma dessas ocasiões (justamente em um dia em que tinha acordado com muitas dúvidas a respeito do poder desconhecido do homem) coloquei o dedo dentro da incisão feita com um canivete enferrujado. Acreditem se quiser — ou ridicularizem se esta for a única maneira de ler o que estou escrevendo —, já vi metal sendo transmutado, talheres entortados, luzes brilhando no ar ao meu redor, porque alguém disse que isso ia acontecer (e aconteceu). Quase sempre estava com testemunhas, geralmente descrentes. Na maior parte das vezes, essas testemunhas continuaram descrentes, sempre achando que tudo era apenas um "truque" bem elaborado. Outras diziam que era "coisa do diabo". Finalmente, umas poucas acreditaram que estavam presenciando fenômenos que iam além da compreensão humana.

Pude ver tudo isso no Brasil, na França, na Inglaterra, na Suíça, no Marrocos, no Japão. E o que acontece com a maioria das pessoas que conseguiram, digamos, interferir nas leis "imutáveis" da natureza? A sociedade as considera sempre como um fenômeno marginal: se não podem explicar, então elas não existem. A grande maioria dessas pessoas tampouco entende por que são capazes de fazer coisas surpreendentes. E, com medo de serem tachadas de charlatanice, terminam sufocadas pelos próprios dons.

Nenhuma delas é feliz. Todas esperam o dia em que possam ser levadas a sério. Todas esperam uma resposta científica para os seus próprios poderes (e, na minha opinião, não penso que o caminho seja por aí). Muitas escondem seu potencial, e terminam sofrendo — porque podiam ajudar o mundo, e não conseguem. No fundo, acho que aguardam também o "perdão oficial" por serem tão diferentes.

Separando o joio do trigo, não se deixando desestimular pela gigantesca quantidade de charlatanice, acho que devemos nos perguntar de novo: do que somos capazes?

E, com serenidade, ir em busca de nosso imenso potencial.

Sobre o ritmo e o Caminho

— Faltou algo em sua palestra sobre o Caminho de Santiago — me diz uma peregrina, assim que saímos da Casa de Galícia, em Madri, onde minutos antes eu acabara de dar uma conferência.

Deve ter faltado muita coisa, pois minha intenção ali era apenas compartilhar um pouco minha experiência. Mesmo assim, convido-a para tomar um café, curioso em saber o que ela considera uma omissão importante.

E Begoña — este é seu nome — me diz:

— Tenho notado que a maioria dos peregrinos, seja no Caminho de Santiago, seja nos caminhos da vida, sempre procura seguir o ritmo dos outros.

"No início de minha peregrinação, procurava ir junto com meu grupo. Me cansava, exigia de meu corpo mais do que podia dar, vivia tensa, e terminei tendo problemas nos tendões do pé esquerdo. Impossibilitada de andar por dois dias, entendi que só conseguiria chegar a Santiago se obedecesse ao meu ritmo pessoal.

Demorei mais do que os outros, tive de andar sozinha por muitos trechos, mas foi só porque respeitei meu próprio ritmo que consegui completar o caminho. Desde então aplico isso a tudo que preciso fazer na vida: respeito o meu tempo."

Viajando de maneira diferente

Desde muito jovem descobri que a viagem era, para mim, a melhor maneira de aprender. Continuo até hoje com esta alma de peregrino, e decidi relatar nesta coluna algumas das lições que aprendi, esperando que possam ser úteis a outros peregrinos como eu.

1) **Evite os museus**. O conselho pode parecer absurdo, mas vamos refletir um pouco juntos: se você está numa cidade estrangeira, não é muito mais interessante ir em busca do presente do que do passado? Acontece que as pessoas sentem-se obrigadas a ir a museus, porque aprenderam desde pequeninas que viajar é buscar esse tipo de cultura. É claro que museus são importantes, mas exigem tempo e objetividade — você precisa saber o que deseja ver ali, ou vai sair com a impressão de que viu uma porção de coisas fundamentais para a sua vida, mas não se lembra quais são.

2) **Frequente os bares**. Ali, ao contrário dos museus, a vida da cidade se manifesta. Bares não são discotecas, mas lugares aonde o povo vai, toma algo, pensa no tempo, e está sempre disposto a uma conversa. Compre um jornal e deixe-se ficar contemplando o entra e sai.

Se alguém puxar assunto, por mais bobo que seja, engate a conversa: não se pode julgar a beleza de um caminho olhando apenas sua porta.

3) **Esteja disponível**. O melhor guia de turismo é alguém que mora no lugar, conhece tudo, tem orgulho de sua cidade, mas não trabalha em uma agência. Saia pela rua, escolha a pessoa com quem deseja conversar, e peça informações (Onde fica tal catedral? Onde estão os Correios?). Se não der resultado, tente outra — garanto que no final do dia irá encontrar uma excelente companhia.

4) **Procure viajar sozinho, ou — ser for casado — com seu cônjuge**. Vai dar mais trabalho, ninguém vai estar cuidando de você(s), mas só dessa maneira poderá realmente sair do seu país. As viagens em grupo são uma maneira disfarçada de estar numa terra estrangeira, mas falando a sua língua natal, obedecendo ao que manda o chefe do rebanho, preocupando-se mais com as fofocas do grupo do que com o lugar que se está visitando.

5) **Não compare**. Não compare nada — nem preços, nem limpeza, nem qualidade de vida, nem meio de transportes, nada! Você não está viajando para provar que vive melhor do que os outros — sua procura, na verdade, é saber como os outros vivem, o que podem ensinar, como se enfrentam com a realidade e com o extraordinário da vida.

6) **Entenda que todo mundo o entende**. Mesmo que não fale a língua, não tenha medo: já estive em muitos lugares onde não havia maneira de me comunicar através de palavras, e terminei sempre encontrando apoio, orientação, sugestões importantes, e até mesmo namo-

radas. Algumas pessoas acham que, se viajarem sozinhas, vão sair na rua e se perder para sempre. Basta ter o cartão do hotel no bolso, e — numa situação extrema — tomar um táxi e mostrá-lo ao motorista.

7) **Não compre muito**. Gaste seu dinheiro com coisas que não vai precisar carregar: boas peças de teatro, restaurantes, passeios. Hoje em dia, com o mercado global e a internet, você pode ter tudo sem precisar pagar excesso de peso.

8) **Não tente ver o mundo em um mês**. Mais vale ficar numa cidade quatro ou cinco dias, que visitar cinco cidades em uma semana. Uma cidade é uma mulher caprichosa, precisa de tempo para ser seduzida e mostrar-se completamente.

9) **Uma viagem é uma aventura**. Henry Miller dizia que é muito mais importante descobrir uma igreja de quem ninguém ouviu falar, que ir a Roma e sentir-se obrigado a visitar a Capela Sistina, com duzentos mil turistas gritando nos seus ouvidos. Vá à Capela Sistina, mas deixe-se perder pelas ruas, andar pelos becos, sentir a liberdade de estar procurando algo que não sabe o que é, mas que — com toda certeza — irá encontrar e mudará a sua vida.

Um conto de fadas

Maria Emilia Voss, uma peregrina de Santiago, conta a seguinte história:

"Por volta do ano 250 a.C., na China antiga, um certo príncipe da região de Thing-Zda estava às vésperas de ser coroado imperador; antes, porém, de acordo com a lei, ele deveria se casar.

Como se tratava de escolher a futura imperatriz, o príncipe precisava encontrar uma moça em quem pudesse confiar cegamente. Aconselhado por um sábio, ele resolveu convocar todas as jovens da região, para encontrar aquela que fosse a mais digna.

Uma velha senhora, serva do palácio havia muitos anos, ouvindo os comentários sobre os preparativos para a audiência, sentiu uma grande tristeza, pois sua filha alimentava um amor secreto pelo príncipe.

Ao chegar em casa e relatar o fato à jovem, espantou-se ao ouvir que ela também pretendia comparecer.

A senhora ficou desesperada:

— Minha filha, o que você fará lá? Estarão presentes apenas as mais belas e ricas moças da corte. Tire essa ideia insensata da cabeça! Eu sei que você deve estar sofrendo, mas não transforme o sofrimento em uma loucura!

E a filha respondeu:

— Querida mãe, não estou sofrendo e muito menos fiquei louca; sei que jamais poderei ser a escolhida, mas é minha oportunidade de ficar pelo menos alguns momentos perto do príncipe, isso já me torna feliz — mesmo sabendo que meu destino é outro.

À noite, quando a jovem chegou ao palácio, lá estavam efetivamente todas as mais belas moças, com as mais belas roupas, as mais belas joias, e dispostas a lutar de qualquer jeito pela oportunidade que lhes era oferecida.

Cercado de sua corte, o príncipe anunciou o desafio:

— Darei para cada uma de vocês uma semente. Aquela que, dentro de seis meses, me trouxer a flor mais linda será a futura imperatriz da China.

A moça pegou a sua semente, plantou-a num vaso e, como não tinha muita habilidade nas artes da jardinagem, cuidava da terra com muita paciência e ternura — pois pensava que, se a beleza das flores surgisse na mesma extensão de seu amor, ela não precisaria se preocupar com o resultado.

Passaram-se três meses e nada brotou. A jovem tentou um pouco de tudo, falou com lavradores e camponeses — que ensinaram os mais variados métodos de cultivo —, mas não conseguiu nenhum resultado. A cada dia sentia-se mais longe do seu sonho, embora o seu amor continuasse tão vivo como antes.

Por fim, os seis meses se esgotaram, e nada nasceu em seu vaso. Mesmo sabendo que nada tinha para mostrar, estava consciente de seu esforço e dedicação durante todo aquele tempo, de modo que comunicou a sua mãe que retornaria ao palácio, na data e hora combinadas. Secretamente, sabia que esse seria seu último encontro com o bem-amado, e não pretendia perdê-lo por nada neste mundo.

Chegou o dia da nova audiência. A moça apareceu com seu vaso sem planta, e viu que todas as outras pretendentes tinham conseguido bons resultados: cada uma tinha uma flor mais bela do que a outra, das mais variadas formas e cores.

Finalmente vem o momento esperado: o príncipe entra e observa cada uma das pretendentes com muito cuidado e atenção. Após passar por todas, ele anuncia o resultado — e indica a filha de sua serva como sua nova esposa.

Todos os presentes começam a reclamar, dizendo que ele escolheu justamente aquela que não tinha conseguido cultivar nenhuma planta.

Foi então que, calmamente, o príncipe esclareceu a razão do seu desafio:

— Esta foi a única que cultivou a flor que a tornou digna de se tornar uma imperatriz: a flor da honestidade. Todas as sementes que entreguei eram estéreis, e não podiam nascer de jeito nenhum."

Ao maior dos escritores brasileiros

Eu tinha editado, com meus próprios recursos, um livro chamado *Os arquivos do inferno* (do qual muito me orgulho, e se não está atualmente nas livrarias é unicamente porque ainda não me atrevi a fazer uma revisão completa do mesmo). Todos nós sabemos o quanto é difícil publicar um trabalho, mas existe algo ainda mais complicado: fazer com que ele seja colocado nas livrarias. Todas as semanas minha mulher ia visitar os livreiros em um lado da cidade, e eu ia para outra região fazer a mesma coisa.

Foi assim que, com exemplares de meu livro debaixo do braço, ela ia atravessando a avenida Copacabana, e eis que Jorge Amado e Zélia Gattai estão do outro lado da calçada! Sem pensar muito, ela os abordou e disse que o marido era escritor. Jorge e Zélia (que provavelmente deviam escutar isso todos os dias) a trataram com o maior carinho, convidaram-na para um café, pediram um exemplar, e terminaram desejando que tudo corresse bem com minha carreira literária.

— Você é louca! — eu disse, quando ela voltou para casa. — Não vê que ele é o mais importante escritor brasileiro?

— Justamente por isso — respondeu ela. — Quem chega aonde ele chegou precisa ter o coração puro.

As palavras de Christina não podiam ser mais acertadas: o coração puro. E Jorge, o escritor brasileiro mais conhecido no exterior, era (e é) a grande referência do que acontecia em nossa literatura.

Um belo dia, porém, *O Alquimista*, escrito por outro brasileiro, entra na lista dos mais vendidos da França, e em poucas semanas chega ao primeiro lugar.

Dias depois, recebo pelo correio um recorte da lista, junto com uma carta afetuosa sua, me cumprimentando pelo feito. Jamais entrariam, no coração puro de Jorge Amado, sentimentos como o ciúme.

Alguns jornalistas — brasileiros e estrangeiros — começam a provocá-lo, fazendo perguntas maldosas. Jorge em nenhum instante se deixa levar pelo lado fácil da crítica destrutiva, e passa a ser meu defensor em um momento difícil para mim, já que a maior parte dos comentários sobre meu trabalho era muito dura.

Recebo finalmente meu primeiro prêmio literário no exterior — mais precisamente, na França. Acontece que, no dia da entrega, deveria estar em Los Angeles por causa de compromissos assumidos anteriormente. Anne Carrière, minha editora, fica desesperada. Fala com os editores americanos, que se recusam a abrir mão das minhas conferências já programadas.

A data do prêmio chegando, e o premiado não poderá ir; o que fazer? Anne, sem me consultar, liga para Jorge Amado e explica a situação. Na mesma hora, Jorge se oferece para me representar na entrega do prêmio.

E não se limita a isso: telefona para o embaixador brasileiro e o convida, faz um lindo discurso, deixa todos os presentes emocionados.

O mais curioso de tudo isso é que eu só iria conhecer Jorge Amado pessoalmente quase um ano depois da entrega do prêmio. Mas sua alma, ah, essa eu aprendera a admirar como eu admiro seus livros: um escritor famoso que jamais desprezou os principiantes, um brasileiro que ficava contente com o sucesso de seus conterrâneos, um ser humano sempre pronto a ajudar quando lhe pediam algo.

Do encontro que não aconteceu

Creio que, pelo menos uma vez por semana, estamos diante de um estranho com quem gostaríamos de conversar, mas não temos coragem. Há alguns dias recebi uma carta a respeito do assunto, enviada por um leitor que chamarei de Antônio. Transcrevo alguns trechos do ocorrido com ele:

"Eu caminhava pela Gran Via quando avistei uma senhora, baixinha, pele clara, bem vestida, pedindo esmola para todos que passavam. Assim que me aproximei, implorou algumas moedas para um sanduíche. Como no Brasil as pessoas que pedem algo sempre estão com roupas velhas e sujas, resolvi não lhe dar nada e segui adiante. Seu olhar, porém, me deixou com uma sensação estranha.

Fui para o hotel, e de repente senti uma vontade incompreensível de voltar e dar-lhe uma esmola — eu estava de férias, tinha acabado de almoçar, carregava dinheiro no bolso, e pensei no quanto deve ser humilhante ficar numa rua, exposto aos olhares de todos, pedindo algo.

Voltei ao local onde tinha visto a mulher. Ela não estava mais lá. Andei pelas ruas próximas, e nada. No dia seguinte, repeti a peregrinação, sem conseguir encontrá-la.

A partir desse dia, não consegui mais dormir direito. Voltei para Fortaleza, falei com uma amiga, ela disse que uma conexão importante não tinha acontecido, que eu devia pedir a ajuda de Deus; rezei, e de alguma maneira escutei uma voz dizendo que precisava encontrar a mendiga novamente. Toda noite eu acordava chorando muito; resolvi que não podia continuar assim, juntei dinheiro, comprei uma nova passagem, e retornei a Madri em busca da mulher.

Comecei uma busca sem fim. Não fazia outra coisa a não ser procurá-la, mas o tempo ia passando e o dinheiro, acabando. Precisei ir a uma agência de viagens para remarcar meu bilhete — já que estava decidido a só voltar ao Brasil quando pudesse dar a esmola que tinha deixado de dar.

Quando ia saindo da agência, tropeço num degrau, e sou atirado em direção a alguém: a mulher que buscava.

Num gesto automático, coloquei a mão no bolso, tirei o que tinha e estendi para ela; senti uma profunda paz, agradeci a Deus pelo reencontro sem palavras, pela segunda chance.

Depois disso já voltei à Espanha várias vezes. Sei que não tornarei a encontrá-la, mas cumpri o que meu coração pedia."

O casal que sorria (Londres, 1977)

Eu era casado com uma moça chamada Cecília, e — num período em que havia decidido largar tudo o que não me dava entusiasmo — fomos morar em Londres. Vivíamos no segundo andar de um pequeno apartamento na Palace Street, e tínhamos muita dificuldade em fazer amigos. Toda noite, porém, um casal jovem, saindo do pub ao lado, passava diante de nossa janela e acenava, gritando, para que descêssemos.

Eu ficava preocupadíssimo com os vizinhos; jamais descia, fingindo que não era comigo. Mas o casal repetia sempre a gritaria, mesmo quando ninguém estava na janela.

Certa noite, desci e reclamei do barulho. Na mesma hora, o riso dos dois transformou-se em tristeza; pediram desculpas, e foram embora. Então, naquela noite me dei conta de que, embora buscasse amigos, estava mais preocupado com "o que os vizinhos vão dizer".

Resolvi que na próxima vez eu os convidaria para subir e beber algo conosco. Fiquei uma semana inteira na janela, na hora que costumavam passar, mas não apareceram. Passei a frequentar o pub, na esperança de vê-los, mas o dono não os conhecia.

Coloquei um cartaz na janela, escrito “Chamem novamente”. Tudo que consegui foi que um bando de bêbados, certa noite, começasse a gritar todos os palavrões possíveis, e a vizinha — com quem eu tanto me preocupara — terminasse reclamando com o proprietário.

Nunca mais os vi.

A segunda chance

— Sempre fui fascinado pela história dos livros sibilinos — eu comentava com Mônica, minha amiga e agente literária, enquanto viajávamos de carro para Portugal. — É preciso aproveitar as oportunidades, ou elas se perdem para sempre.

As sibilas, feiticeiras capazes de prever o futuro, viviam na antiga Roma. Um belo dia, uma delas apareceu no palácio do imperador Tibério com nove livros; disse que ali estava o futuro do Império, e pediu dez talentos de ouro pelos textos. Tibério achou caríssimo e não quis comprar.

A sibila saiu, queimou três livros, e voltou com os seis restantes.

— São dez talentos de ouro — disse.

Tibério riu, e mandou-a embora; como tinha coragem de vender seis livros pelo mesmo preço de nove?

A sibila queimou mais três livros e voltou para Tibério com os únicos três volumes que restavam: — Custam os mesmos dez talentos de ouro.

Intrigado, Tibério terminou comprando os três volumes, e só pôde ler uma pequena parte do futuro.

Quando terminei de contar a história, me dei conta de que estávamos passando por Ciudad Rodrigo, na fronteira da Espanha com Portugal. Ali, quatro anos antes, um livro me havia sido oferecido, e eu não comprei.

— Vamos parar. Creio que o fato de ter me lembrado dos livros sibilinos foi um sinal para corrigir um erro do passado.

Na primeira viagem de divulgação de meus livros na Europa, resolvera almoçar naquela cidade. Depois, fui visitar a catedral, e encontrei um padre. "Veja como o sol da tarde faz tudo mais bonito aqui dentro", disse ele. Gostei do comentário, conversamos um pouco, e ele me guiou pelos altares, claustros, jardins interiores do templo. No final, ofereceu-me um livro que havia escrito sobre a igreja, mas eu não quis comprar. Quando saí, senti-me culpado; sou escritor, e estava na Europa tentando vender meu trabalho — por que não comprar o livro do padre, por solidariedade? Mas esqueci o episódio. Até aquele momento.

Parei o carro; Mônica e eu nos encaminhamos para a praça em frente à igreja, onde uma mulher olhava o céu.

— Boa tarde. Vim aqui encontrar um padre que escreveu um livro sobre esta igreja.

— O padre, que se chamava Stanislau, morreu faz um ano — respondeu ela.

Senti uma imensa tristeza. Por que eu não tinha dado ao padre Stanislau a mesma alegria que eu sentia quando via alguém com um dos meus livros?

— Foi um dos homens mais bondosos que conheci — continuou a mulher. — Vinha de uma família humilde, mas chegou a tornar-se um especialista em arqueologia; ajudou a conseguir para meu filho uma bolsa no colégio.

Contei a ela o que fazia ali.

— Não se culpe à toa, meu filho — disse. — Vá visitar de novo a catedral.

Achei que era um sinal, e fiz o que ela mandava. Havia apenas um padre num confessionário, esperando os fiéis que não vinham. Dirigi-me para ele; o padre fez sinal para que me ajoelhasse, mas eu o interrompi.

— Não quero me confessar. Vim apenas comprar um livro sobre esta igreja, escrito por um homem chamado Stanislau.

Os olhos do padre brilharam. Ele saiu do confessionário e voltou minutos depois com um exemplar.

— Que alegria você ter vindo só por isso! — disse. — Sou irmão do padre Stanislau, e isto me enche de orgulho! Ele deve estar no céu, contente por ver que seu trabalho tem importância!

Com tantos padres ali, eu tinha encontrado justamente o irmão de Stanislau. Paguei o livro, agradeci, ele me abraçou. Quando eu já ia saindo, escutei sua voz.

— Veja como o sol da tarde faz tudo mais bonito aqui dentro! — disse.

Eram as mesmas palavras que o padre Stanislau me dissera quatro anos antes. Sempre há uma segunda chance na vida.

O australiano e o anúncio do jornal

Estou no porto de Sydney, olhando para a bela ponte que une as duas partes da cidade, quando se aproxima um australiano e me pede para ler um anúncio de jornal.

— São letras muito pequenas — diz ele. — Não consigo enxergar.

Eu tento, mas estou sem meus óculos de leitura. Peço desculpas ao homem.

— Não tem a menor importância — diz ele. — Quer saber de uma coisa? Eu acho que Deus também tem a vista cansada. Não porque esteja velho, mas porque escolheu assim. Desse modo, quando alguém faz alguma coisa errada, Ele não consegue ver direito, e termina perdoando a pessoa, pois não quer cometer uma injustiça.

— E quanto às coisas boas? — pergunto.

— Bem, Deus nunca esquece os óculos em casa — riu o australiano, afastando-se.

O pranto do deserto

Um amigo meu volta do Marrocos com uma bela história sobre um missionário que, assim que chegou a Marrakech, resolveu que passearia todas as manhãs pelo deserto que ficava nos limites da cidade. Na sua primeira caminhada, notou um homem deitado nas areias, com a mão acariciando o solo, e o ouvido colado à terra.

"É um louco", disse para si mesmo.

Mas a cena se repetiu todos os dias e, passado um mês, intrigado por aquele comportamento estranho, ele resolveu dirigir-se ao estranho. Com muita dificuldade — já que ainda não falava árabe fluentemente —, ajoelhou-se ao seu lado.

— O que você está fazendo?

— Faço companhia ao deserto, e o consolo por sua solidão e suas lágrimas.

— Não sabia que o deserto era capaz de chorar.

— Ele chora todos os dias, porque tem o sonho de tornar-se útil ao homem, e transformar-se num imenso jardim, onde se pudessem cultivar cereais, flores, e criar carneiros.

— Pois diga ao deserto que ele cumpre bem sua missão — comentou o missionário. — Cada vez que caminho por aqui, entendo a verdadeira dimensão do ser humano, pois o seu espaço aberto me permite ver como somos pequenos diante de Deus.

"Quando olho suas areias, imagino os milhões de pessoas no mundo, que foram criadas iguais, embora nem sempre o mundo seja justo com todos. As suas montanhas me ajudam a meditar. Ao ver o sol nascendo no horizonte, minha alma se enche de alegria, e me aproximo do Criador."

O missionário deixou o homem, e voltou para os seus afazeres diários. Qual não foi sua surpresa, na manhã seguinte, ao encontrá-lo no mesmo lugar, e na mesma posição.

— Você comentou com o deserto tudo que lhe disse? — perguntou.

O homem acenou afirmativamente com a cabeça.

— E mesmo assim ele continua chorando?

— Posso escutar cada um de seus soluços. Agora ele chora porque passou milhares de anos pensando que era completamente inútil, e desperdiçou todo esse tempo blasfemando contra Deus e seu destino.

— Pois conte para ele que, apesar de o ser humano ter uma vida muito mais curta, também passa muitos de seus dias pensando que é inútil. Raramente descobre a razão do seu destino, e acha que Deus foi injusto com ele. Quando chega o momento em que, finalmente, algum acontecimento lhe mostra o porquê de ter nascido, acha que é muito tarde para mudar de vida, e continua sofrendo. E como o deserto, culpa-se pelo tempo que perdeu.

— Não sei se o deserto ouvirá — disse o homem. — Ele já está acostumado à dor, e não consegue ver as coisas de outra maneira.

— Então vamos fazer aquilo que eu sempre faço quando sinto que as pessoas perderam a esperança. Vamos rezar.

Os dois ajoelharam-se e rezaram; um virou-se em direção a Meca porque era muçulmano, o outro colocou as mãos juntas em prece, porque era católico. Rezaram cada um para o seu Deus, que sempre foi o mesmo Deus, embora as pessoas insistissem em chamá-Lo por nomes diferentes.

No dia seguinte, quando o missionário retomou a sua caminhada matinal, o homem não estava mais lá. No lugar onde costumava abraçar a areia, o solo parecia molhado, já que uma pequena fonte tinha nascido ali. Nos meses que se seguiram, essa fonte cresceu, e os habitantes da cidade construíram um poço em torno dela.

Os beduínos chamam o lugar de "Poço das Lágrimas do Deserto". Dizem que todo aquele que beber de sua água irá conseguir transformar o motivo do seu sofrimento na razão da sua alegria; e terminará encontrando seu verdadeiro destino.

Roma: Isabella volta do Nepal

Encontro Isabella num restaurante que costumamos ir porque está sempre vazio, embora a comida seja excelente. Ela me conta que, durante sua viagem ao Nepal, passou algumas semanas em um mosteiro. Certa tarde, passeava nas redondezas com um monge, quando ele abriu a bolsa que carregava e ficou um longo tempo olhando o seu conteúdo. Logo em seguida, comentou com minha amiga:

— Sabe que as bananas podem lhe ensinar o significado da existência?

Tirou uma banana podre de dentro da bolsa, e jogou-a fora.

— Esta é a vida que passou, não foi aproveitada no momento certo, e agora é tarde demais.

Em seguida, tirou da bolsa uma banana ainda verde, mostrou-a, e tornou a guardá-la.

— Esta é a vida que ainda não aconteceu; é preciso esperar o momento certo.

Finalmente, tirou uma banana madura, descascou-a, e dividiu-a com Isabella.

— Este é o momento presente. Saiba devorá-lo sem medo ou culpa.

Da arte da espada

Há muitos séculos, na época dos samurais, foi escrito no Japão um texto sobre a arte espiritual de manejar a espada: "A compreensão impassível" — também conhecido como "O tratado de Tahlan", nome de seu autor (que era ao mesmo tempo um mestre de esgrima e um monge zen). Adaptei a seguir alguns trechos:

Mantendo a calma: Quem compreende o sentido da vida sabe que nada tem início e nada tem fim e, portanto, não fica angustiado. Luta pelo que acredita sem tentar provar nada a ninguém, guardando a calma silenciosa de quem teve a coragem de escolher seu destino.

Isso vale para o amor e para a guerra.

Deixando o coração estar presente: Quem confia no seu poder de sedução, na capacidade de dizer as coisas na hora certa, no uso correto do corpo, fica surdo para "a voz do coração". Esta só pode ser escutada quando estamos em perfeita sintonia com o mundo à nossa volta, e jamais quando nos julgamos o centro do universo.

Isso vale para o amor e para a guerra.

Aprendendo a ser o outro: Estamos tão centrados naquilo que julgamos ser a melhor atitude, que esquecemos algo muito importante: para atingir nossos objetivos, precisamos de outras pessoas. Portanto, é necessário não apenas observar o mundo, mas imaginar-se na pele dos outros, e saber como acompanhar seus pensamentos.

Isso vale para o amor e para a guerra.

Encontrando o mestre correto: Nosso caminho irá cruzar sempre com muita gente que, por amor ou por soberba, quer nos ensinar algo. Como distinguir o amigo do manipulador? A resposta é simples: o verdadeiro mestre não é aquele que ensina um caminho ideal, mas o que mostra ao seu aluno as muitas vias de acesso até a estrada que ele precisará percorrer para encontrar-se com seu destino. A partir do momento em que encontra essa estrada, o mestre não pode mais ajudá-lo, porque seus desafios são únicos.

Isso não vale nem para o amor, nem para a guerra — mas sem compreender este item, não chegaremos a lugar nenhum.

Escapando das ameaças: Pensamos muitas vezes que a atitude ideal é dar a vida por um sonho: nada mais errado do que isso. Para atingir um sonho, precisamos conservar nossa vida e, portanto, é obrigatório saber como evitar aquilo que nos ameaça. Quanto mais premeditarmos nossos passos, mais chances teremos de errar — porque não estaremos levando em consideração os outros, os ensinamentos da vida, a paixão, e a calma. Quanto mais acharmos que temos o controle, mais estaremos distantes de controlar qualquer coisa. Uma ameaça não dá avisos, e uma reação rápida não pode ser programada como um passeio durante a tarde de domingo.

Portanto, se você quiser entrar em harmonia com o seu amor ou com o seu combate, aprenda a reagir rápido. Por meio da observação educada, não deixe que a sua suposta experiência de vida o transforme em uma máquina: use essa experiência para escutar sempre a "voz do coração". Mesmo que não esteja de acordo com o que essa voz está dizendo, respeite-a e siga seus conselhos: ela sabe o melhor momento de agir, e o momento de evitar a ação.

Isso também vale para o amor e para a guerra.

Nas montanhas azuis

Logo no dia seguinte à minha chegada na Austrália, meu editor me leva para uma reserva natural perto da cidade de Sydney. Ali, no meio das florestas que cobrem o lugar conhecido como Montanhas Azuis, existem três formações rochosas em forma de obelisco.

— São as Três Irmãs — diz meu editor, e me conta a seguinte lenda:

"Um feiticeiro passeava com suas três irmãs quando se aproximou o mais famoso guerreiro daqueles tempos.

— Quero casar-me com uma destas belas moças — disse.

— Se uma delas se casar, as outras duas vão se achar feias. Estou procurando uma tribo onde os guerreiros possam ter três mulheres — respondeu o feiticeiro, afastando-se.

E, durante anos, caminhou pelo continente australiano, sem conseguir encontrar essa tribo.

— Pelo menos uma de nós podia ter sido feliz — disse uma das irmãs, quando já estavam velhas e cansadas de tanto andar.

— Eu estava errado — respondeu o feiticeiro. — Mas agora é tarde.

E transformou as três irmãs em blocos de pedra, para que quem por ali passasse pudesse entender que a felicidade de um não significa a tristeza de outros."

O sabor de ganhar

Arash Hejazi, meu editor iraniano, conta a história de um homem que, em busca da santidade, resolveu subir uma alta montanha levando apenas a roupa do corpo, e ali permanecer meditando o resto de sua vida.

Logo percebeu que uma roupa não era suficiente, porque ficava suja muito rápido. Desceu a montanha, foi até a aldeia mais próxima, e pediu outras vestimentas. Como todos sabiam que o homem estava em busca de santidade, entregaram-lhe um novo par de calças e uma camisa.

O homem agradeceu e tornou a subir até a ermida que estava construindo no alto do monte. Passava a noite fazendo as paredes, os dias entregue à meditação, comia os frutos das árvores, e bebia a água de uma nascente próxima.

Um mês depois, descobriu que um rato costumava roer a roupa extra que deixava para secar. Como queria estar concentrado apenas em seu dever espiritual, desceu de novo até o vilarejo, e pediu que lhe arranjassem um gato. Os moradores, respeitando sua busca, atenderam ao pedido.

Mais sete dias, e o gato estava quase morto de inanição, porque não conseguia alimentar-se de frutas e não havia mais ratos no local. Voltou à aldeia em busca de leite; como os camponeses sabiam que não era para ele — que, afinal de contas, resistia sem comer nada além do que a natureza lhe oferecia, mais uma vez o ajudaram.

O gato acabou rapidamente com o leite, de modo que o homem pediu que lhe emprestassem uma vaca. Como a vaca dava mais leite que o necessário, ele passou a bebê-lo também, para não desperdiçar. Em pouco tempo — respirando o ar da montanha, comendo frutas, meditando, bebendo leite, e fazendo exercício —, transformou-se em um modelo de beleza. Uma jovem que subira a montanha para procurar um cordeiro terminou se apaixonando, e convenceu-o de que precisava de uma esposa para cuidar das tarefas da casa, enquanto meditava em paz.

Três anos depois, o homem estava casado, com dois filhos, três vacas, um pomar de árvores frutíferas, e dirigia um lugar de meditação, com uma gigantesca lista de espera de gente que queria conhecer o milagroso "templo da eterna juventude".

Quando alguém lhe perguntava como havia começado tudo aquilo, ele dizia:

— Duas semanas depois que cheguei aqui, tinha apenas duas peças de roupa. Um rato começou a roer uma delas, e...

Mas ninguém se interessava pelo final da história; tinham certeza de que era um sagaz homem de negócios, tentando inventar uma lenda para poder aumentar ainda mais o preço da estadia no templo.

A cerimônia do chá

No Japão, participei da conhecida "cerimônia do chá". Entra-se num pequeno quarto, o chá é servido, e nada mais. Só que tudo é feito com tanto ritual e protocolo que uma prática cotidiana transforma-se num momento de comunhão com o Universo.

O mestre do chá, Okakura Kakuso, explica o que acontece:

— A cerimônia é a adoração do belo e do simples. Todo o seu esforço concentra-se na tentativa de atingir o Perfeito por meio dos gestos imperfeitos da vida cotidiana. Toda a sua beleza consiste no respeito com que é realizada.

Se um mero encontro para beber chá pode nos transportar até Deus, é bom ficar atento para as outras dezenas de oportunidades que um simples dia nos oferece.

A nuvem e a duna

"Todo mundo sabe que a vida das nuvens é muito movimentada, mas também muito curta", escreve Bruno Ferrero. E vamos a mais uma história:

Uma jovem nuvem nasceu no meio de uma grande tempestade no mar Mediterrâneo. Mas nem sequer teve tempo de crescer ali; um vento forte empurrou todas as nuvens em direção à África.

Assim que chegaram ao continente, o clima mudou: um sol generoso brilhava no céu, e embaixo se estendia a areia dourada do deserto do Saara. O vento as continuou empurrando em direção às florestas do sul, já que no deserto quase não chove.

Entretanto, assim como acontece com os jovens humanos, a jovem nuvem resolveu desgarrar-se dos seus pais e amigos mais velhos para conhecer o mundo.

— O que você está fazendo? — reclamou o vento. — O deserto é todo igual! Volte para a formação, e vamos até o centro da África, onde existem montanhas e árvores deslumbrantes!

Mas a jovem nuvem, rebelde por natureza, não obedeceu; pouco a pouco, foi baixando de altitude, até conseguir planar em uma brisa suave, generosa, perto das areias douradas. Depois de muito passear, reparou que uma das dunas estava sorrindo para ela.

Viu que ela também era jovem, recém-formada pelo vento que acabara de passar. Na mesma hora, apaixonou-se por sua cabeleira dourada.

— Bom dia! — disse. — Como é viver aí embaixo?

— Tenho a companhia das outras dunas, do sol, do vento, e das caravanas que de vez em quando passam por aqui. Às vezes faz muito calor, mas dá para aguentar. E como é viver aí em cima?

— Também existe o vento e o sol, mas a vantagem é que posso passear pelo céu, e conhecer muita coisa.

— Para mim a vida é curta — disse a duna. — Quando o vento retornar das florestas, irei desaparecer.

— E isso a entristece?

— Me dá a impressão de que não sirvo para nada.

— Eu também sinto o mesmo. Assim que um novo vento passar, irei para o sul e me transformarei em chuva; entretanto, esse é meu destino.

A duna hesitou um pouco, mas terminou dizendo:

— Sabe que, aqui no deserto, nós chamamos a chuva de Paraíso?

— Eu não sabia que podia me transformar em algo tão importante — disse a nuvem, orgulhosa.

— Já escutei várias lendas contadas por velhas dunas. Elas dizem que, após a chuva, nós ficamos cobertas de ervas e de flores. Mas eu nunca saberei o que é isso, porque no deserto chove muito raramente.

Foi a vez de a nuvem ficar hesitante. Mas logo em seguida, tornou a abrir seu largo sorriso:

— Se você quiser, eu posso lhe cobrir de chuva. Embora tenha acabado de chegar, estou apaixonada por você, e gostaria de ficar aqui para sempre.

— Quando a vi pela primeira vez no céu, também me enamorei — disse a duna. — Mas se você transformar sua linda cabeleira branca em chuva, terminará morrendo.

— O amor nunca morre — disse a nuvem. — Ele se transforma; e eu quero mostrar-lhe o Paraíso.

E começou a acariciar a duna com pequenas gotas; assim permaneceram juntas por muito tempo, até que um arco-íris apareceu.

No dia seguinte, a pequena duna estava coberta de flores. Outras nuvens que passavam em direção à África achavam que ali estava parte da floresta que andavam buscando, e despejavam mais chuva. Vinte anos depois, a duna havia se transformado num oásis, que refrescava os viajantes com a sombra de suas árvores.

Tudo porque, um dia, uma nuvem apaixonada não tivera medo de dar sua vida por causa do amor.

Norma e as coisas boas

Em Madri vive Norma, uma brasileira muito especial. Os espanhóis a chamam de "a vovó roqueira": ela tem mais de sessenta anos, trabalha em diversos lugares ao mesmo tempo, está sempre inventando promoções, festas, concertos de música.

Certa vez, lá pelas quatro da manhã — quando eu já não aguentava mais de cansaço —, perguntei a Norma de onde tirava tanta energia.

— Eu tenho um calendário mágico. Se quiser, posso te mostrar.

Na tarde seguinte, fui até sua casa. Ela pegou uma antiga folhinha, toda rabiscada.

— Bem, hoje é a descoberta da vacina contra a pólio — disse. — Vamos comemorar, porque a vida é bela.

Norma havia copiado, em cada um dos dias do ano, alguma coisa boa que havia acontecido naquela data. Para ela, a vida era sempre um motivo de alegria.

21 de junho de 2003, Jordânia, mar Morto

Na mesa exatamente ao lado estavam o rei e a rainha da Jordânia, o secretário de Estado Collin Powell, o representante da Liga Árabe, o ministro de Relações Exteriores de Israel, o presidente da Alemanha, o Presidente do Afeganistão Hamid Karzai, e outros importantes nomes envolvidos no processo de guerra e paz que estamos presenciando. Embora a temperatura estivesse próxima dos 40°C, uma brisa suave soprava no deserto, um pianista tocava sonatas, o céu estava claro, tochas espalhadas pelo jardim iluminavam o lugar. Do outro lado do mar Morto podíamos ver Israel, e o clarão das luzes de Jerusalém no horizonte. Ou seja, tudo parecia em harmonia e paz — e de repente me dei conta de que aquele momento, longe de ser uma aberração da realidade, era na verdade um sonho de todos nós. Embora meu pessimismo tenha aumentado muito no decorrer desses meses, se as pessoas ainda conseguem conversar, nada está perdido. Mais tarde a rainha Rannia iria comentar que o lugar do encontro tinha sido escolhido por seu caráter simbólico: o mar Morto é o lugar mais profundo da superfície da Terra (no caso, 401 metros abaixo do nível do mar). Para ir mais fundo ainda, temos de mergulhar — mas nesse caso específico, a salinidade da água força o corpo a voltar para a superfície. E é assim com o longo e doloroso processo de paz no Oriente Médio: não se pode ir para um estado mais abaixo do atual. Se eu tivesse ligado a TV naquele dia, iria saber da morte de um colono judeu e um jovem palestino. Mas eu estava ali, naquele jantar, com a estranha sensação de que a calma daquela noite podia se estender por toda a região, as pessoas voltariam a conversar como conversavam naquele momento, a utopia é possível, os homens não podem descer mais fundo.

Se algum dia tiverem oportunidade de ir ao Oriente Médio, não deixem de visitar a Jordânia (um país maravilhoso, acolhedor), ir ao mar Morto, olhar Israel na outra margem: entenderão que a paz é necessária e possível. A seguir, parte do texto que escrevi e li durante o evento, acompanhado pelo improviso do genial violinista judeu Ivry Gitlis:

"Paz não quer dizer o contrário de Guerra.

Podemos ter paz no coração mesmo no meio das batalhas mais ferozes, porque estamos lutando por nossos sonhos. Quando todos os nossos amigos já perderam a esperança, a paz do Bom Combate nos ajuda a seguir adiante.

Uma mãe que pode alimentar seu filho tem paz em seus olhos, embora suas mãos estejam tremendo porque a diplomacia falhou, as bombas caem, os soldados morrem.

Um arqueiro que abre seu arco tem paz em sua mente, mesmo que todos os seus músculos estejam tensos por causa do esforço físico.

Portanto, para os Guerreiros da Luz, paz não é o oposto de guerra — porque eles são capazes de:

A) Distinguir o que é passageiro e o que é duradouro. Podem lutar por seus sonhos e por sua sobrevivência, mas respeitam os laços que foram desenvolvidos através do tempo, da cultura, e da religião.

B) Saber que seus adversários não são necessariamente seus inimigos.

C) Ter consciência de que suas ações afetarão cinco gerações futuras, e serão seus filhos e netos que se beneficiarão dos resultados ou sofrerão as consequências.

D) Lembrar-se do que diz o I Ching: a perseverança é favorável. Mas sem confundir perseverança com insistência — as batalhas que duram mais do que o necessário terminam destruindo o entusiasmo necessário para a reconstrução.

Para o Guerreiro da Luz, não existem abstrações; cada oportunidade de transformar a si mesmo é uma oportunidade de transformar o mundo.

Para o Guerreiro da Luz, tampouco existe pessimismo. Ele rema contra a maré se for necessário, pois, quando estiver velho e cansado, poderá dizer aos seus netos que veio a este mundo para entender melhor seu vizinho, e não para condenar o seu irmão."

No porto de San Diego, Califórnia

Eu estava conversando com uma mulher da Tradição da Lua — um tipo de aprendizado feminino que trabalha em harmonia com as forças da natureza.

— Quer tocar em uma gaivota? — perguntou ela, olhando as aves na amurada do píer.

— Claro que sim.

Tentei algumas vezes, mas, sempre que me aproximava, elas voavam.

— Procure sentir amor por ela. Depois, faça esse amor jorrar do seu peito como um feixe de luz, atingindo o peito da gaivota. E se aproxime com calma.

Fiz o que ela mandou. Por duas vezes não consegui nada, mas na terceira — como se eu tivesse entrado em "transe" —, consegui tocar a gaivota. Repeti o "transe", com o mesmo resultado positivo.

— O amor cria pontes em lugares que parecem impossíveis — diz a minha amiga feiticeira.

Conto aqui a experiência, para quem quiser tentar.

A arte da retirada

Um Guerreiro da Luz que confia demais na sua inteligência acaba por subestimar o poder do adversário.

É preciso não esquecer: há momentos em que a força é mais eficaz do que a sagacidade. E quando estamos diante de certo tipo de violência, não há brilho, argumento, inteligência ou charme que possam evitar a tragédia.

Por isso, o guerreiro nunca subestima a força bruta: quando ela é agressiva, irracionalmente, ele se retira do campo de batalha — até que o inimigo desgaste sua energia.

Entretanto, é bom deixar bem claro: um Guerreiro da Luz nunca se acovarda. A fuga pode ser uma excelente arte de defesa, mas não pode ser usada quando o medo é grande.

Na dúvida, o guerreiro prefere enfrentar a derrota e depois curar suas feridas — porque sabe que, se fugir, está dando ao agressor um poder maior do que ele merece.

Ele pode curar o sofrimento físico, mas será eternamente perseguido por sua fraqueza espiritual. Diante de alguns momentos difíceis e dolorosos, o guerreiro encara a situação desvantajosa com heroísmo, resignação, e coragem.

Para atingir o estado de espírito necessário (já que está entrando em uma luta com desvantagem, e pode sofrer muito), o guerreiro precisa entender exatamente aquilo que poderá lhe fazer mal. Okakura Kakuzo comenta em seu livro sobre o ritual japonês do chá:

"Nós olhamos a maldade nos outros, porque conhecemos a maldade através de nosso comportamento. Nós nunca perdoamos aqueles que nos ferem, porque achamos que jamais seríamos perdoados. Nós dizemos a verdade dolorosa ao próximo, porque a queremos esconder de nós mesmos. Nós mostramos nossa força, para que ninguém possa ver nossa fragilidade.

Por isso, sempre que estiver julgando o seu irmão, tenha consciência de que é você quem está no tribunal."

Às vezes, essa consciência pode evitar uma luta que só trará desvantagens. Outras vezes, porém, não existe saída, apenas o combate desigual.

Sabemos que vamos perder, mas o inimigo, a violência, não deixou nenhuma alternativa — exceto a covardia, e isso não nos interessa. Neste momento, é preciso aceitar o destino, procurando manter em mente um texto do fabuloso Bhagavad-Gita (capítulo II, 16-26):

"O homem não nasce, e também nunca morre. Tento vindo a existir, jamais deixará de fazê-lo, porque é eterno e permanente.

Assim como um homem descarta as roupas usadas e passa a usar roupas novas, a alma descarta o corpo velho e assume o corpo novo.

Mas ela é indestrutível; espadas não podem cortá-la, o fogo não a queima, a água não a molha, o vento jamais a resseca. Ela está além do poder de todas essas coisas.

Como o homem é indestrutível, ele é sempre vitorioso (mesmo em suas derrotas), e por isso não deve lamentar-se jamais."

No meio da guerra

O cineasta Ruy Guerra me conta que — certa noite — conversava com amigos numa casa no interior de Moçambique. O país estava em guerra, de modo que faltava tudo — desde gasolina até iluminação.

Para passar o tempo, começaram a falar sobre o que gostariam de comer. Cada um foi dizendo seu prato preferido, até que chegou a vez de Ruy.

— Eu gostaria de comer uma maçã — disse, sabendo que era impossível encontrar frutas, por causa do racionamento.

Naquele exato momento, escutaram um barulho. E uma reluzente, bela, suculenta maçã entrou rolando na sala — e parou na sua frente!

Mais tarde, Ruy descobriu que uma das moças que viviam ali tinha saído para buscar frutas no mercado negro. Ao subir a escada na volta, levou um tropeção e caiu; a sacola de maçãs que havia comprado abriu-se, e uma delas rolou sala adentro.

Coincidência? Bem, essa seria uma palavra muito pobre para explicar esta história.

O militar na floresta

Ao subir uma trilha nos Pirineus em busca de um lugar onde pudesse praticar o arco e flecha, deparei-me com um pequeno acampamento do exército francês. Os soldados me olharam, eu fingi que não estava vendo nada (todos nós temos um pouco esta paranoia de sermos considerados espiões...) e segui adiante.

Achei o lugar ideal, fiz os exercícios preparatórios de respiração, e eis que vejo um veículo blindado se aproximando.

Na mesma hora me coloquei na defensiva, e preparei todas as possíveis respostas para as perguntas que me seriam feitas: tenho permissão de usar o arco, o local é seguro, qualquer palavra em contrário cabe aos guardas florestais e não ao exército etc... Mas eis que salta do veículo um coronel, pergunta se eu sou o escritor, relata alguns fatos interessantíssimos sobre a região.

Até que, vencendo a timidez quase visível, diz que também escreveu um livro: e me conta a curiosa gênese de seu trabalho.

Ele e sua mulher faziam doações para uma criança leprosa que originariamente vivia na Índia, mas que depois foi transferida para a França. Um belo dia, curiosos de conhecer a menina, foram até o convento onde freiras se encarregavam de tomar conta da criança. Foi uma tarde linda, e no final uma freira pediu que ele ajudasse na educação espiritual do grupo de crianças que ali vivia. Jean-Paul Sétau (este é o nome do militar) disse que não tinha qualquer experiência em aulas de catecismo, mas que iria meditar, e perguntar a Deus o que fazer.

Naquela noite, depois de suas orações, escutou a resposta: "Ao invés de dar respostas, procure saber o que as crianças querem perguntar".

A partir daí, Sétau teve a ideia de visitar várias escolas, e pedir que os alunos escrevessem tudo que gostariam de saber a respeito da vida. Pediu que as perguntas fossem feitas por escrito, evitando dessa maneira que os mais tímidos tivessem medo de se manifestar. O resultado do seu trabalho foi reunido em um livro — *A criança que quer saber tudo* (Ed. Altess, Paris).

A seguir, algumas das perguntas:

"Aonde vamos depois da morte?"
"Por que nós temos medo de estrangeiros?"
"Existem marcianos e extraterrestres?"
"Por que acontecem acidentes mesmo com gente que acredita em Deus?"
"O que significa Deus?"
"Por que nascemos, se morremos no final?"
"Quantas estrelas há no céu?"
"Quem inventou a guerra e a felicidade?"
"O Senhor também escuta aqueles que não acreditam no mesmo Deus (católico)?"

"Por que existem pobres e doentes?"
"Por que Deus criou mosquitos e moscas?"
"Por que o anjo da guarda não está perto quando estamos tristes?"
"Por que amamos certas pessoas e detestamos outras?"
"Quem deu nome às cores?"
"Se Deus está no céu, e minha mãe também está lá porque morreu, como é que Ele pode estar vivo?"

Oxalá alguns professores ou pais, lendo esta coluna, sintam-se estimulados a fazer a mesma coisa. Dessa maneira, ao invés de tentar impor nossa compreensão adulta do Universo, acabaremos por relembrar algumas de nossas perguntas da infância — que na verdade jamais foram respondidas.

Em uma cidade da Alemanha

— Veja que monumento interessante — diz Robert.

O sol do final de outono começa a descer. Estamos em uma cidade na Alemanha.

— Não vejo nada — respondo. — Apenas uma praça vazia.

— O monumento está debaixo de seus pés — insiste Robert.

Olho para o chão: o calçamento é feito de lajes iguais, sem nenhuma decoração especial. Não quero decepcionar meu amigo, mas não consigo ver nada demais naquela praça.

Robert explica:

— Chama-se 'O Monumento Invisível'. Gravado na parte de baixo de cada uma destas pedras, existe o nome de um lugar onde judeus foram mortos. Artistas anônimos criaram esta praça durante a Segunda Guerra, e iam acrescentando as lajes à medida que novos locais de extermínio eram denunciados.

"Mesmo que ninguém visse, aqui ficava o testemunho, e o futuro iria terminar descobrindo a verdade sobre o passado."

Encontro na galeria Dentsu

Três senhores, muito bem vestidos, apareceram no meu hotel em Tóquio.

— Ontem o senhor deu uma conferência na galeria Dentsu — disse um deles. — Eu entrei por acaso. Nesse momento, o senhor dizia que nenhum encontro acontece por casualidade. Talvez fosse o momento de nos apresentarmos.

Não perguntei como haviam descoberto o hotel em que estava hospedado, não perguntei nada; se pessoas são capazes de superar essas dificuldades, merecem todo o respeito. Um dos três homens entregou-me alguns livros de caligrafia japonesa. Minha intérprete ficou excitada: o tal senhor era Kazuhito Aida, filho de um grande poeta japonês, de quem eu nunca tinha ouvido falar.

E foi justamente o mistério da sincronicidade dos encontros que me permitiu conhecer, ler, e dividir com os leitores desta coluna um pouco do magnífico trabalho de Mitsuo Aida (1924-98), calígrafo e poeta, cujos textos nos trazem de volta a importância da inocência:

Porque viveu intensamente sua vida
a grama seca ainda chama a atenção de quem passa.

As flores apenas florescem,
e fazem isso da melhor maneira que podem.
O lírio branco no vale, que ninguém vê,
não precisa explicar-se para ninguém;
vive apenas para a beleza.
Os homens, porém, não podem conviver com o "apenas".

Se os tomates quiserem ser melões
eles se transformarão em uma farsa.
Muito me surpreende
que tanta gente esteja ocupada
em querer ser quem não é;
qual a graça de transformar-se em uma farsa?

Você não precisa fingir que é forte
não deve sempre provar que tudo está correndo bem,
não pode se preocupar com o que os outros estão pensando
chore se tiver necessidade
é bom chorar até não sobrar nenhuma lágrima
(pois só então poderá voltar a sorrir).

Eu às vezes assisto pela TV às inaugurações de túneis e pontes. Eis o que normalmente acontece: muitas celebridades e políticos locais se colocam em fila, e no centro está o ministro ou o governador do lugar. Então, uma fita é cortada, e quando os diretores da obra voltam aos seus escritórios, ali encontram várias cartas de reconhecimento e admiração.

As pessoas que suaram e trabalharam por aquilo, que pegaram na picareta e na pá, que se exauriram de trabalho no verão, ou ficaram ao relento no inverno para terminar a obra, jamais são vistas; parece que a melhor parte fica com aqueles que não derramaram o suor de seus rostos.

Eu quero ser sempre uma pessoa capaz de ver as faces que não são vistas — daqueles que não procuram fama nem glória, que silenciosamente cumprem o papel que lhes é destinado pela vida.

Eu quero ser capaz disso, porque as coisas mais importantes da existência, as que nos constroem, jamais mostram suas faces.

A rosa dourada

Acabo de jantar, tomo meu café, e fico contemplando o quadro diante de mim: foi colocado dentro de um rio e ali repousou por um ano, esperando que a natureza desse o retoque final ao trabalho da pintora.

Metade da pintura foi carregada pelas águas e pelas intempéries, de modo que as bordas são irregulares; mesmo assim, posso ver ainda parte da bela rosa vermelha, pintada sobre um fundo dourado. Conheço a artista. Lembro-me de 2003, quando fomos juntos até uma floresta dos Pirineus, descobrimos o riacho que naquele momento estava seco, e escondemos a tela debaixo das pedras que cobriam seu leito.

Conheço a artista, Christina Oiticica. Neste momento, está fisicamente a 8 mil quilômetros de distância, e ao mesmo tempo sua presença está em tudo que me cerca. Isso me alegra: mesmo depois de 29 anos de casados, o amor eterno é mais intenso que nunca. Jamais imaginei que isso fosse acontecer: vinha de três relações que não tinham dado certo, e estava convencido que não existe amor eterno, até que ela apareceu — em uma tarde de Natal, como um presente enviado por um anjo. Fomos ao cinema. Fizemos amor no mesmo dia.

Eu pensei comigo mesmo: "Não vai durar muito". Durante os dois primeiros anos de relação, estava sempre preparado para que um dos dois fosse embora. Durante os cinco anos que seguiram, eu continuava achando que era apenas acomodação, e em breve cada um seguiria seu destino. Tinha convencido a mim mesmo que qualquer compromisso mais sério iria me privar de "liberdade" e impedir-me de viver tudo aquilo que desejava.

Vinte e nove anos depois continuo livre — porque descobri que o amor jamais escraviza o ser humano. Sou livre para virar a cabeça e vê-la dormindo ao meu lado — essa é a foto que tenho em meu telefone celular. Sou livre para sairmos, caminharmos, continuar conversando, discutindo – e eventualmente brigando, como sempre. Sou livre para amar como nunca amei antes, e isso fez uma grande diferença em minha vida.

Volto ao quadro e ao rio. Estávamos no verão de 2002, eu já era um escritor conhecido, tinha dinheiro, julgava que meus valores básicos não haviam mudado, mas como ter absoluta certeza? Testando. Alugamos um pequeno quarto em um hotel de duas estrelas na França, onde começamos a passar cinco meses por ano. O armário não podia crescer, de modo que limitamos nossas roupas. Percorríamos as florestas, jantávamos fora, ficávamos horas conversando, íamos ao cinema todos os dias. A simplicidade nos confirmou que as coisas mais sofisticadas do mundo são justamente aquelas que estão ao alcance de todos. Para meu trabalho tudo que precisava era um computador portátil. Acontece que minha mulher é... pintora.

E pintores precisam de gigantescos ateliês para produzir e guardar seus trabalhos. Não queria de maneira nenhuma que sacrificasse sua vocação por mim, de modo que me propus a alugar um local. Entretanto, olhando em volta, vendo as montanhas, os vales, os rios, os lagos, as florestas, ela pensou: por que não trabalho aqui? E por que não permito que a natureza trabalhe comigo?

Daí nasceu a ideia de "armazenar" as telas ao ar livre. Eu levava o laptop e ficava escrevendo. Ela se ajoelhava na grama e pintava. Um ano depois, quando retiramos as primeiras telas, o resultado era original e magnífico.

Vivemos naquele pequeno hotel dois anos inesquecíveis. Ela continuou a enterrar suas telas, já não mais por necessidade, e sim por ter descoberto uma nova técnica. Amazônia, Mumbai, Caminho de Santiago, Lubijana, Miami. Hoje está longe, mas amanhã, ou na semana que vem, estará perto de novo. Dormindo ao meu lado. Contente, porque seu trabalho começa a ser reconhecido no mundo inteiro.

Neste momento, olho apenas a rosa. E agradeço ao anjo que me deu dois presentes naquele natal de 1979: a capacidade de abrir meu próprio coração, e a pessoa certa para recebê-lo.

Feliz 2009 para todos.

Reflexões sobre 11 de setembro de 2001

Só agora, passados alguns anos do ocorrido, resolvo escrever sobre o assunto. Evitei tocar no tema imediatamente, de modo que cada um pudesse refletir, à sua maneira, sobre as consequências dos atentados.

É sempre muito difícil aceitar que uma tragédia possa, de alguma maneira, trazer resultados positivos. Quando vimos, horrorizados, o que mais parecia ser um filme de ficção científica — as torres desabando e carregando na queda milhares de pessoas —, tivemos duas sensações imediatas: a primeira, um sentimento de impotência e terror diante do que estava acontecendo. A segunda sensação: o mundo nunca mais seria o mesmo.

O mundo nunca mais será o mesmo, é verdade — mas, depois de todo esse tempo para refletir sobre o assunto, será que ainda resta a sensação de que todas aquelas pessoas morreram em vão? Ou alguma coisa além de morte, poeira e aço retorcido pode ser encontrada debaixo dos escombros do World Trade Center?

Creio que todo ser humano, em algum momento, acaba por ver uma tragédia cruzar sua vida; podia ser a destruição de uma cidade, a morte de um filho, uma acusação sem provas, uma doença que aparece sem aviso e traz a invalidez permanente. A vida é um risco constante, e quem se esquece disso jamais estará preparado para os desafios do destino. Quando estamos diante da inevitável dor que cruza o nosso caminho, então somos obrigados a buscar um sentido para o que está acontecendo, a superar o medo, e a dar início ao processo de reconstrução.

A primeira coisa que devemos fazer, quando estamos diante do sofrimento e da insegurança, é aceitá-los como tais. Não podemos tratá-los como algo que não nos diz respeito, nem transformá-los em uma punição que satisfaça o nosso eterno sentimento de culpa. Nos escombros do World Trade Center estavam pessoas como nós, que se sentiam seguras ou infelizes, realizadas ou lutando para crescer, com família que as esperava em casa, ou desesperadas pela solidão da grande cidade. Eram americanos, ingleses, alemães, brasileiros, japoneses, gente de todos os cantos do mundo, unida pelo destino comum — e misterioso — de se encontrar por volta das nove horas da manhã em um mesmo lugar, que era bonito para alguns, e opressivo para outros. Quando as duas torres desabaram, não foram apenas essas pessoas que morreram: todos nós morremos um pouco, e o mundo inteiro ficou menor.

Quando estamos diante de uma grande perda, seja ela material, espiritual, ou psicológica, precisamos nos lembrar da grande lição dos sábios: a paciência, a certeza de que tudo é provisório nesta vida. Partindo daí, então vamos rever os nossos valores. Já que o mundo, por muitos anos, não voltará mais a ser um lugar seguro, por que não aproveitar esta súbita mudança e criar coragem para arriscar nossos dias fazendo coisas que sempre desejamos fazer? Quantas pessoas, naquela manhã do dia 11 de setembro, estavam no World Trade Center contra a própria vontade, tentando seguir uma carreira que não era a delas, fazendo um trabalho de que não gostavam, apenas porque ali era um lugar seguro, onde podiam garantir dinheiro suficiente para a aposentadoria e a velhice?

Essa foi a grande mudança do mundo, e os que foram enterrados sob os escombros dos dois edifícios agora nos fazem pensar sobre nossos próprios valores. Quando as torres caíram, carregaram consigo sonhos e esperanças, mas também abriram um espaço no horizonte, e nos obrigaram a refletir sobre o sentido de nossas vidas. E justamente aí nossa atitude fará toda a diferença.

Conta uma velha história que, logo depois dos bombardeios em Dresden, um homem passou por um terreno cheio de escombros e viu três operários trabalhando.

— O que vocês estão fazendo? — perguntou.

O primeiro operário virou-se:

— Não está vendo? Eu estou removendo estas pedras!

— Não está vendo? Eu estou ganhando o meu salário! — disse o segundo operário.

— Não está vendo? — disse o terceiro operário. — Eu estou reconstruindo uma catedral!

Embora as três pessoas estivessem fazendo a mesma coisa, apenas uma tinha a verdadeira dimensão do sentido de sua obra. Esperemos que, no mundo que virá depois do dia 11 de setembro de 2001, cada um de nós seja capaz de levantar-se dos próprios escombros emocionais, e construir a catedral com que sempre sonhou, mas que jamais ousou criar.

Os sinais de Deus

Isabelita me conta a seguinte lenda:

Um velho árabe analfabeto orava com tanto fervor, todas as noites, que o rico chefe de uma grande caravana resolveu chamá-lo:

— Por que oras com tanta fé? Como sabes que Deus existe, quando nem ao menos sabes ler?

— Sei ler, sim, senhor. Leio tudo que o Grande Pai Celeste escreve.

— Como assim?

O servo humilde explicou-se:

— Quando o senhor recebe uma carta de pessoa ausente, como reconhece quem a escreveu?

— Pela letra.

— Quando o senhor recebe uma joia, como sabe quem a fez?

— Pela marca do ourives.

— Quando ouve passos de animais, ao redor da tenda, como sabe se foi um carneiro, um cavalo, um boi?

— Pelos rastros — respondeu o chefe, surpreendido com aquele questionário.

O velho crente convidou-o para fora da barraca e mostrou-lhe o céu.

— Senhor, aquelas coisas escritas lá em cima, este deserto aqui embaixo, nada disso pode ter sido desenhado ou escrito pelas mãos dos homens.

Solitário no caminho

A vida é como uma grande corrida de bicicleta, cuja meta é cumprir a Lenda Pessoal — aquilo que, segundo os antigos alquimistas, é nossa verdadeira missão na Terra.

Na largada, estamos juntos — compartilhando camaradagem e entusiasmo. Mas, à medida que a corrida se desenvolve, a alegria inicial cede lugar aos verdadeiros desafios: o cansaço, a monotonia, as dúvidas sobre a própria capacidade. Reparamos que alguns amigos já desistiram no fundo de seus corações — ainda estão correndo, mas apenas porque não podem parar no meio de uma estrada. Esse grupo vai ficando cada vez mais numeroso, com todos pedalando ao lado do carro de apoio — também chamado de Rotina —, onde conversam entre si, cumprem suas obrigações, mas esquecem as belezas e desafios da estrada.

Nós acabamos por nos distanciar deles; e então somos obrigados a enfrentar a solidão, as surpresas com as curvas desconhecidas, os problemas com a bicicleta. Em um dado momento, depois de alguns tombos sem ninguém por perto para nos ajudar, acabamos por nos perguntar se vale a pena tanto esforço.

Sim, vale; é só não desistir. O padre Alan Jones diz que, para que nossa alma tenha condições de superar esses obstáculos, precisamos de Quatro Forças Invisíveis: amor, morte, poder e tempo.

É necessário amar, porque somos amados por Deus.

É necessária a consciência da morte, para entender bem a vida.

É necessário lutar para crescer — mas não se deixar iludir pelo poder que chega junto com o crescimento, porque sabemos que ele não vale nada.

Finalmente, é necessário aceitar que nossa alma — embora seja eterna — está neste momento presa na teia do tempo, com suas oportunidades e limitações; assim, em nossa solitária corrida de bicicleta, temos de agir como se o tempo existisse, fazer o possível para valorizar cada segundo, descansar quando necessário, mas continuar sempre em direção à luz Divina, sem se deixar incomodar pelos momentos de angústia.

Essas Quatro Forças não podem ser tratadas como problemas a serem resolvidos, já que estão além de qualquer controle. Precisamos aceitá-las, e deixar que nos ensinem o que precisamos aprender.

Nós vivemos num Universo que é ao mesmo tempo gigantesco o suficiente para nos envolver e pequeno o bastante para caber em nosso coração. Na alma do homem está a alma do mundo, o silêncio da sabedoria. Enquanto pedalamos em direção à nossa meta, é sempre importante perguntar: “O que há de bonito no dia de hoje?”. O sol pode estar brilhando, mas, se a chuva estiver caindo, é importante lembrar-se de que isso também significa que as nuvens negras em breve terão se dissolvido. As nuvens se dissolvem, mas o sol permanece o mesmo, e não acaba nunca — nos momentos de solidão, é importante lembrar-se disso.

Enfim, quando as coisas estiverem muito duras, não podemos esquecer que todo mundo já experimentou isso, independentemente de raça, cor, situação social, crenças, ou cultura. Uma linda prece do mestre sufi Dhu'l-Nun (egípcio, falecido em 861 d.C.) resume bem a atitude positiva necessária nesses momentos:

"Ó Deus, quando presto atenção nas vozes dos animais, no ruído das árvores, no murmúrio das águas, no gorjeio dos pássaros, no zunido do vento ou no estrondo do trovão, percebo neles um testemunho da Tua unidade; sinto que Tu és o supremo poder, a onisciência, a suprema sabedoria, a suprema justiça.

Ó Deus, reconheço-Te nas provas que estou passando. Permite, ó Deus, que Tua satisfação seja a minha satisfação. Que eu seja a Tua alegria, aquela alegria que um Pai sente por um filho. E que eu me lembre de Ti com tranquilidade e determinação, mesmo quando fica difícil dizer que Te amo."

O que é divertido no homem

Um senhor perguntou ao meu amigo Jaime Cohen:

— Quero saber o que é mais divertido nos seres humanos.

Cohen comentou:

— Pensam sempre ao contrário: têm pressa de crescer, e depois suspiram pela infância perdida. Perdem a saúde para ter dinheiro, e logo em seguida perdem o dinheiro para ter saúde.

"Pensam tão ansiosamente no futuro que descuidam do presente, e, assim, não vivem nem o presente, nem o futuro.

"Vivem como se não fossem morrer nunca, e morrem como se não tivessem jamais vivido."

A volta ao mundo depois de morta

Sempre pensei no que acontece enquanto espalhamos um pouco de nós mesmos pela Terra. Já cortei cabelos em Tóquio, unhas na Noruega, vi meu sangue correr de uma ferida ao subir uma montanha na França. Em meu primeiro livro, *Os arquivos do inferno* (que jamais foi reeditado), especulava um pouco sobre o tema, como se fosse necessário semear um pouco do próprio corpo em diversas partes do mundo, de modo que, numa futura vida, algo nos parecesse familiar. Recentemente li no jornal francês *Le Figaro* um artigo assinado por Guy Barret sobre um caso real, acontecido em junho de 2001, de alguém que levou às últimas consequências essa ideia.

Trata-se da americana Vera Anderson, que passou toda a sua vida na cidade de Medford, Oregon. Já avançada em idade, foi vítima de um acidente cardiovascular, agravado por um enfisema do pulmão, o que a obrigou a passar anos inteiros dentro do quarto, sempre conectada a um balão de oxigênio. O fato em si já é um suplício, mas no caso de Vera a situação era ainda mais grave, porque tinha sonhado percorrer o mundo e guardara suas economias para fazê-lo quando já estivesse aposentada.

Vera conseguiu ser transferida para o Colorado, de

modo que pudesse passar o resto de seus dias na companhia do seu filho, Ross. Ali, antes que fizesse sua última viagem — aquela da qual jamais voltamos —, tomou uma decisão. Já que nunca conseguira sequer conhecer seu país, iria então viajar depois de morta.

Ross foi até o tabelião local e registrou o testamento da mãe: quando morresse, gostaria de ser incinerada. Até aí, nada de mais. Mas o testamento continua: suas cinzas deviam ser colocadas em duzentas e quarenta e uma pequenas sacolas, que seriam enviadas aos chefes dos serviços de correios nos cinquenta estados americanos, e a cada um dos cento e noventa e um países do mundo — de modo que pelo menos uma parte do seu corpo terminasse visitando os lugares com que sempre sonhou.

Assim que Vera partiu, Ross cumpriu seu último desejo com a dignidade que se espera de um filho. A cada remessa, incluía uma pequena carta, na qual pedia que dessem uma sepultura digna para sua mãe.

Todas as pessoas que receberam as cinzas de Vera Anderson trataram o pedido de Ross com respeito. Nos quatro cantos da Terra, criou-se uma silenciosa cadeia de solidariedade, onde simpatizantes desconhecidos organizaram cerimônias, os ritos mais diversos, sempre levando em conta o lugar que a falecida senhora gostaria de conhecer.

Dessa maneira, as cinzas de Vera foram aspergidas no lago Titicaca, na Bolívia, seguindo antigas tradições dos índios aimarás; no rio, diante do palácio real de Estocolmo; na margem do Chao Praya, na Tailândia; em um templo xintoista no Japão; nas geleiras da Antártida; no deserto do Saara. As irmãs de caridade de um orfanato na América do Sul (a matéria não cita em que país) rezaram por uma semana, antes de espalhar as cinzas no jardim — e depois decidiram que Vera Anderson deveria ser considerada uma espécie de anjo da guarda do lugar.

Ross Anderson recebeu fotos dos cinco continentes, de todas as raças, de todas as culturas, mostrando homens e mulheres honrando o último desejo de sua mãe. Num mundo tão dividido como o de hoje, onde parece que ninguém se preocupa com o outro, esta última viagem de Vera Anderson nos enche de esperança e nos mostra, ao contrário, que ainda existe respeito, amor e generosidade na alma de nosso próximo, por mais distante que ele esteja.

Quem ainda deseja esta nota?

Cassan Said Amer conta a história de um palestrante que começou um seminário segurando uma nota de vinte dólares e perguntando:

— Quem deseja esta nota de vinte dólares?

Várias mãos se levantaram, mas o palestrante pediu:

— Antes de entregá-la, preciso fazer algo. Amassou-a com toda a fúria, e insistiu:

— Quem ainda quer esta nota?

As mãos continuaram levantadas.

— E se eu fizer isto?

Atirou-a contra a parede, deixou-a cair no chão, ofendeu-a, pisoteou-a, e mais uma vez mostrou a nota — agora imunda e amassada. Repetiu a pergunta, e as mãos continuaram levantadas.

— Vocês não podem jamais esquecer esta cena — comentou o palestrante. — Não importa o que eu faça com este dinheiro, ele continua sendo uma nota de vinte dólares. Muitas vezes em nossas vidas somos amassados, pisados, maltratados, ofendidos; entretanto, apesar disso, ainda valemos a mesma coisa.

As duas joias

Do padre cisterciense Marcos Garcia, em Burgos, na Espanha: "Às vezes Deus retira uma determinada bênção para que a pessoa possa compreendê-Lo além dos favores e dos pedidos. Ele sabe até que ponto pode provar uma alma — e nunca vai além desse ponto.

Nesses momentos, jamais digamos 'Deus me abandonou'. Ele jamais faz isso; nós é que podemos, às vezes, abandoná-Lo. Se o Senhor nos coloca uma grande prova, também sempre nos dá as graças suficientes — eu diria, mais que suficientes — para ultrapassá-la."

A esse respeito, a leitora Camila Galvão Piva me enviou uma interessante história, intitulada "As duas joias":

"Um rabino muito religioso vivia feliz com sua família — uma esposa admirável e dois filhos queridos. Certa vez, por causa de seu trabalho, teve de se ausentar de casa por vários dias. Justamente quando estava fora, um grave acidente de carro matou os dois meninos.

Sozinha, a mãe sofreu em silêncio. Mas sendo uma mulher forte, sustentada pela fé e pela confiança em Deus, suportou o choque com dignidade e bravura. Entretanto, como dar ao esposo a triste notícia? Embora também sendo um homem de fé, ele já tinha sido internado por problemas cardíacos no passado, e a mulher temia que o conhecimento da tragédia acarretasse também a sua morte.

Restava apenas rezar para que Deus lhe aconselhasse a melhor maneira de agir. Na véspera da chegada do marido, orou muito — e recebeu a graça de uma resposta.

No dia seguinte, o rabino retornou ao lar, abraçou longamente a esposa, e perguntou pelos filhos. A mulher disse que não se preocupasse com isso, tomasse seu banho, descansasse.

Horas depois os dois sentaram-se para almoçar. Ela lhe pediu detalhes sobre a viagem, ele contou tudo que tinha vivido, falou sobre a misericórdia de Deus — mas tornou a perguntar pelos meninos.

A esposa, numa atitude um tanto embaraçada, respondeu ao marido:

— Deixe os filhos, depois nos preocuparemos com eles. Primeiro quero que me ajude a resolver um problema que considero grave.

O marido, já preocupado, perguntou:

— O que aconteceu? Notei você abatida! Fale tudo o que lhe passa pela alma, e tenho certeza de que resolveremos juntos qualquer problema, com a ajuda de Deus.

— Enquanto você esteve ausente, um amigo nosso visitou-me e deixou duas joias de valor incalculável para que as guardasse. São joias muito preciosas! Jamais vi algo tão belo! Ele vem buscá-las e eu não estou disposta a devolvê-las, pois já me afeiçoei a elas. O que você me diz?

— Ora, mulher! Não estou entendendo o seu comportamento! Você nunca cultivou vaidades!

— É que nunca havia visto joias assim! Não consigo aceitar a ideia de perdê-las para sempre!

E o rabino respondeu com firmeza:

— Ninguém perde o que não possui. Retê-las equivaleria a roubo! Vamos devolvê-las, eu a ajudarei a superar a falta delas. Faremos isso juntos, hoje mesmo.

— Pois bem, meu querido, seja feita a sua vontade. O tesouro será devolvido. Na verdade, isso já foi feito.

"As joias preciosas eram nossos filhos. Deus os confiou à nossa guarda, e durante a sua viagem veio buscá-los. Eles se foram..."

O rabino compreendeu na mesma hora. Abraçou a esposa, e juntos derramaram muitas lágrimas — mas tinha entendido a mensagem, e a partir daquele dia lutaram para superar juntos a perda.

Enganando a si mesmo

Faz parte da natureza humana sempre julgar os outros com muita severidade, e, quando o vento sopra contra nossos anseios, sempre encontrar uma desculpa pelo mal que fizemos, ou blasfemar contra o próximo por nossas falhas. A história a seguir ilustra o que quero dizer.

Certo mensageiro foi enviado, em uma missão urgente, a uma cidade distante. Colocou a sela em seu cavalo, e partiu a todo o galope. Depois de ver passarem várias hospedarias, onde sempre alimentavam os animais, o cavalo pensou:

"Já não paramos para comer em estrebarias, e isso significa que não sou mais tratado como um cavalo, e sim como um ser humano. Como todos os homens, creio que comerei na próxima cidade grande."

Mas as cidades grandes passavam, uma após a outra, e seu condutor continuava a viagem. O cavalo então começou a pensar: "Talvez eu não tenha me transformado em um ser humano, mas em um anjo, pois os anjos jamais necessitam de comida".

Finalmente, atingiram o destino, e o animal foi conduzido até o estábulo, onde devorou o feno ali encontrado, com um apetite voraz.

“Por que achar que as coisas mudam, se elas não seguem o ritmo de sempre?”, dizia para si mesmo. “Não sou homem nem anjo, mas apenas um cavalo com fome.”

A arte de tentar

A frase é de Pablo Picasso: "Deus é, sobretudo, um artista. Ele inventou a girafa, o elefante, a formiga. Na verdade, Ele nunca procurou seguir um estilo — simplesmente foi fazendo tudo aquilo que tinha vontade de fazer".

É nossa vontade de andar que cria nosso caminho — entretanto, quando começamos a jornada em direção ao sonho, sentimos muito medo, como se fôssemos obrigados a fazer tudo certinho. Afinal, se vivemos vidas diferentes, quem foi que inventou o padrão do "tudo certinho"? Se Deus fez a girafa, o elefante e a formiga, e nós procuramos viver à Sua imagem e semelhança, por que temos de seguir um modelo? O modelo, às vezes, nos serve para evitar repetir erros estúpidos que outros já cometeram, mas normalmente é uma prisão que nos obriga a repetir sempre aquilo que todos fazem.

Ser coerente é precisar usar sempre a gravata combinando com a meia. É ser obrigado a manter, amanhã, as mesmas opiniões que você tinha hoje. E o movimento do mundo, onde fica?

Desde que não prejudique ninguém, mude de opinião de vez em quando, e caia em contradição sem se envergonhar disso. Você tem esse direito; não importa o que os outros vão pensar — porque eles vão pensar de qualquer maneira.

Quando decidimos agir, alguns excessos acontecem. Diz um velho ditado culinário: "Para fazer uma omelete é preciso, primeiro, quebrar o ovo". Também é natural que surjam conflitos inesperados. É natural que surjam feridas no decorrer desses conflitos. As feridas passam: permanecem apenas as cicatrizes.

Isso é uma bênção. Essas cicatrizes ficam conosco o resto da vida, e vão nos ajudar muito. Se em algum momento — por comodismo ou qualquer outra razão — a vontade de voltar ao passado for grande, basta olhar para elas.

As cicatrizes vão nos mostrar a marca das algemas, vão nos lembrar os horrores da prisão — e continuaremos caminhando para a frente.

Por isso, relaxe. Deixe o Universo se movimentar à sua volta, e descubra a alegria de ser uma surpresa para você mesmo. "Deus escolheu as coisas loucas do mundo para envergonhar os sábios", diz São Paulo.

Um Guerreiro da Luz nota que certos momentos se repetem; com frequência ele se vê diante dos mesmos problemas, e enfrenta situações que já havia enfrentado anteriormente.

Então fica deprimido. Começa a achar que é incapaz de progredir na vida, já que as mesmas coisas que viveu no passado estão acontecendo de novo.

"Já passei por isso", ele reclama com seu coração.

"Realmente, você já passou", responde o coração. "Mas nunca ultrapassou."

O guerreiro então passa a ter consciência de que as experiências repetidas têm uma finalidade; ensinar-lhe o que ainda não aprendeu. Ele dá sempre uma solução diferente para cada luta repetida — e não considera suas falhas como erros, mas como passos em direção ao encontro consigo mesmo.

Das armadilhas da busca

Ao mesmo tempo que as pessoas passam a prestar mais atenção às coisas do espírito, outro fenômeno ocorre: a intolerância com a busca espiritual dos outros. Todos os dias recebo revistas, mensagens eletrônicas, cartas, panfletos, tentando provar que tal caminho é melhor do que o outro e apresentando uma série de regras para atingir "a iluminação". Em virtude do volume crescente desse tipo de correspondência, decidi escrever um pouco sobre aquilo que considero perigoso nessa busca.

Mito 1: a mente pode curar tudo. Isso não é verdade, e prefiro ilustrar este mito com uma história. Há alguns anos, uma amiga minha — profundamente envolvida com a busca espiritual — começou a ter febre, passar muito mal, e durante toda a noite procurou mentalizar o seu corpo, usando todas as técnicas que conhecia, de modo a curar-se apenas com o poder do pensamento. No dia seguinte, seus filhos, preocupados, pediram que fosse a um médico — mas ela se recusava, alegando que estava "purificando" seu espírito. Só quando a situação ficou insustentável foi que aceitou ir a um hospital, e ali teve de ser operada imediatamente — diagnosticaram apendicite. Portanto, muito cuidado: melhor às vezes pedir que Deus guie as mãos de um médico do que tentar curar-se sozinho.

Mito 2: a carne vermelha afasta a luz divina. É evidente que, se você pertence a determinada religião, terá de respeitar as regras estabelecidas — judeus e muçulmanos, por exemplo, não comem carne de porco e, nesse caso, trata-se de uma prática que faz parte da fé. Entretanto, o mundo está sendo inundado por uma onda de "purificação" por meio da comida: os vegetarianos radicais olham as pessoas que comem carne como se fossem responsáveis pelo assassinato de animais. Ora, as plantas também não são seres vivos? A natureza é um constante ciclo de vida e morte, e algum dia seremos nós que iremos alimentar a terra — portanto, se você não pertence a uma religião que proíba determinado alimento, coma aquilo que seu organismo pedir. Quero lembrar aqui a história do mago russo Gurdjeff: quando jovem, foi visitar um grande mestre e, para impressioná-lo, comia apenas vegetais.

Certa noite, o mestre quis saber por que tinha uma dieta tão rígida, e Gurdjeff comentou: "Para manter limpo o meu corpo". O mestre riu, aconselhando-o imediatamente a parar com essa prática: se continuasse assim, ia terminar como uma flor na estufa — muito pura, mas incapaz de resistir aos desafios das viagens e da vida. Como dizia Jesus: "O mal não é o que entra, mas o que sai da boca do homem".

Mito 3: Deus é sacrifício. Muita gente busca o caminho do sacrifício e da autoimolação, afirmando que devemos sofrer neste mundo para ter felicidade no próximo. Ora, se este mundo é uma bênção de Deus, por que não saber aproveitar ao máximo as alegrias que a vida dá? Estamos muito acostumados com a imagem de Cristo pregado na cruz, mas nos esquecemos de que Sua paixão durou apenas três dias: o resto do tempo passou viajando, encontrando as pessoas, comendo, bebendo, levando Sua mensagem de tolerância. E tanto foi assim que Seu primeiro milagre foi "politicamente incorreto": como faltou bebida nas bodas de Caná, ele transformou água em vinho. Fez isso, no meu entender, para mostrar a todos nós que não existe nenhum mal em ser feliz, alegrar-se, participar de uma festa — porque Deus está muito mais presente quando estamos junto dos outros. Maomé dizia que "se estamos infelizes, trazemos também infelicidade aos nossos amigos". Buda, depois de um longo período de provação e renúncia, estava tão fraco que quase se afogou; quando foi salvo por um pastor, entendeu que o isolamento e o sacrifício nos afastam do milagre da vida.

Mito 4: existe um único caminho até Deus. Este é o mais perigoso de todos os mitos: a partir daí começam as explicações do Grande Mistério, as lutas religiosas, o julgamento do nosso próximo. Podemos escolher uma religião (eu, por exemplo, sou católico), mas devemos entender que o nosso irmão, mesmo tendo escolhido uma religião diferente, irá chegar ao mesmo ponto de luz que nós buscamos com nossas práticas espirituais. Finalmente, vale a pena lembrar que não é possível transferir de maneira nenhuma para o padre, o rabino, o imame as responsabilidades de nossas decisões. Somos nós que construímos, por meio de cada um de nossos atos, a estrada até o Paraíso.

Meu sogro, Christiano Oiticica

Pouco antes de morrer, meu sogro chamou a família:

"Sei que a morte é apenas uma passagem, e quero poder fazer esta travessia sem tristeza. Para que vocês não fiquem inquietos, mandarei um sinal de que valeu a pena ajudar os outros nesta vida." Pediu para ser cremado, as cinzas jogadas no Arpoador, enquanto um gravador tocava suas músicas preferidas.

Faleceu dois dias depois. Um amigo facilitou a cremação em São Paulo e, de volta ao Rio, fomos todos para o Arpoador com o rádio-gravador, as fitas, o embrulho com a pequena urna de cinzas. Ao chegarmos diante do mar, descobrimos que a tampa estava presa por parafusos. Tentamos abrir, inutilmente.

Não havia ninguém por perto, só um mendigo, que se aproximou. "O que vocês querem?"

Meu cunhado respondeu: "Uma chave de parafuso, porque aqui estão as cinzas do meu pai".

"Ele deve ter sido um homem muito bom, porque acabei de achar isto agora", disse o mendigo.

E estendeu uma chave de parafuso.

Obrigado, presidente Bush

(Este texto foi publicado em um portal inglês no dia 8 de março de 2003, duas semanas antes da invasão ao Iraque — e naquele mesmo mês foi o artigo mais difundido sobre a guerra, com aproximadamente quinhentos milhões de leitores.)

Obrigado, grande líder George W. Bush.

Obrigado por mostrar a todos o perigo que Saddam Hussein representa. Talvez muitos de nós tivéssemos esquecido que ele utilizou armas químicas contra seu povo, contra os curdos, contra os iranianos. Hussein é um ditador sanguinário, uma das mais claras expressões do mal no dia de hoje.

Entretanto, essa não é a única razão pela qual estou lhe agradecendo. Nos dois primeiros meses do ano de 2003, o senhor foi capaz de mostrar muitas coisas importantes ao mundo, e por isso merece minha gratidão.

Assim, recordando um poema que aprendi na infância, quero lhe dizer obrigado.

Obrigado por mostrar a todos que o povo turco e seu parlamento não estão à venda, nem por 26 bilhões de dólares.

Obrigado por revelar ao mundo o gigantesco abismo que existe entre a decisão dos governantes e os desejos do povo. Por deixar claro que tanto José María Aznar como Tony Blair não dão a mínima importância e não têm nenhum respeito pelos votos que receberam. Aznar é capaz de ignorar que noventa por cento dos espanhóis estão contra a guerra, e Blair não se importa com a maior manifestação pública na Inglaterra nestes trinta anos mais recentes.

Obrigado porque sua perseverança forçou Tony Blair a ir ao Parlamento inglês com um dossiê escrito por um estudante há dez anos, e apresentar isso como "provas contundentes recolhidas pelo serviço secreto britânico".

Obrigado por enviar Colin Powell ao Conselho de Segurança da ONU com provas e fotos, permitindo que, uma semana mais tarde, as mesmas fossem publicamente contestadas por Hans Blix, o inspetor responsável pelo desarmamento do Iraque.

Obrigado porque sua posição fez com que o ministro de Relações Exteriores da França, sr. Dominique de Villepin, em seu discurso contra a guerra, tivesse a honra de ser aplaudido no plenário — honra essa que, pelo que eu saiba, só tinha acontecido uma vez na história da ONU, por ocasião de um discurso de Nelson Mandela.

Obrigado porque, graças aos seus esforços pela guerra, pela primeira vez as nações árabes — geralmente divididas — foram unânimes em condenar uma invasão, durante o encontro no Cairo, na última semana de fevereiro.

Obrigado porque, graças à sua retórica afirmando que "a ONU tem uma chance de mostrar sua relevância", mesmo os países mais relutantes terminaram tomando uma posição contra um ataque ao Iraque.

Obrigado por sua política exterior ter feito o ministro de Relações Exteriores da Inglaterra, Jack Straw, declarar em pleno século XXI que "uma guerra pode ter justificativas morais" — e, ao declarar isso, perder toda a sua credibilidade.

Obrigado por tentar dividir uma Europa que luta pela sua unificação; isso foi um alerta que não será ignorado.

Obrigado por ter conseguido o que poucos conseguiram neste século: unir milhões de pessoas, em todos os continentes, lutando pela mesma ideia — embora esta ideia seja oposta à sua.

Obrigado por nos fazer de novo sentir que, mesmo que nossas palavras não sejam ouvidas, elas pelo menos são pronunciadas — e isso nos dará mais força no futuro.

Obrigado por nos ignorar, por marginalizar todos aqueles que tomaram uma atitude contra sua decisão, pois é dos excluídos o futuro da Terra.

Obrigado porque, sem o senhor, não teríamos conhecido nossa capacidade de mobilização. Talvez ela não sirva para nada no presente, mas seguramente será útil mais adiante.

Agora que os tambores da guerra parecem soar de maneira irreversível, quero fazer minhas as palavras de um antigo rei europeu para um invasor: "Que sua manhã seja linda, que o sol brilhe nas armaduras de seus soldados — porque durante a tarde eu o derrotarei".

Obrigado por permitir a todos nós, um exército de anônimos que passeiam pelas ruas tentando parar um processo já em marcha, que tomemos conhecimento do que é a sensação de impotência, que aprendamos a lidar com ela, e a transformá-la.

Portanto, aproveite sua manhã e o que ela ainda pode trazer de glória.

Obrigado por não nos escutar e por não nos levar a sério. Pois saiba que nós o escutamos, e não esqueceremos suas palavras.

Obrigado, grande líder George W. Bush.

Muito obrigado.

O empregado inteligente

Na época em uma base aérea na África, o escritor Saint-Exupéry fez uma coleta com seus amigos, pois um empregado marroquino queria voltar à cidade natal. Conseguiu juntar mil francos.

Um dos pilotos transportou o empregado até Casablanca, e voltou contando o que aconteceu:

— Assim que chegou, foi jantar no melhor restaurante, distribuiu generosas gorjetas, pagou bebidas para todos, comprou bonecas para as crianças de sua aldeia. Esse homem não tinha o menor sentido de economia.

— Ao contrário — respondeu Saint-Exupéry. — Ele sabia que o melhor investimento do mundo são as pessoas. Gastando assim, conseguiu de novo ganhar o respeito de seus conterrâneos, que terminarão por lhe dar emprego. Afinal de contas, só um vencedor pode ser tão generoso.

A terceira paixão

Durante estes quinze anos mais recentes, lembro-me de ter vivido apenas três paixões avassaladoras — daquelas que fazem você ler tudo a respeito, conversar compulsivamente sobre o assunto, procurar pessoas com a mesma afinidade, dormir e acordar pensando no tema. A primeira foi quando comprei um computador, abandonando para sempre a máquina de escrever e descobrindo a liberdade que isso me permitia (estou escrevendo agora em uma pequena cidade francesa, usando algo que pesa menos de um quilo e meio, contém dez anos de minha vida profissional, e onde posso achar o que preciso em menos de cinco segundos). A segunda foi quando entrei pela primeira vez na internet — já naquela época uma biblioteca maior do que a maior de todas as bibliotecas.

A terceira paixão, porém, nada tem a ver com avanços tecnológicos. Trata-se de... arco e flecha. Na minha juventude, li um livro fascinante, *A arte cavalheiresca do arqueiro zen*, de E. Herrigel (Ed. Pensamento), no qual o autor conta seu percurso espiritual por meio da prática desse esporte. A ideia ficou em meu subconsciente até que um dia, nas montanhas dos Pirineus, conheci um arqueiro. Conversa vai, conversa vem, ele me emprestou seu material e, a partir daí, não consegui mais viver sem praticar o tiro ao alvo quase todos os dias.

No Brasil, fiz um stand de tiro no meu apartamento (daqueles que você pode desmontar em cinco minutos, quando as visitas chegam). Nas montanhas francesas, saio todos os dias para praticar, e isso já me levou duas vezes ao leito com hipotermia, já que fiquei mais de duas horas exposto a uma temperatura de -6°C. Participei do Fórum Econômico Mundial, em Davos, à base de analgésicos fortíssimos; dois dias antes, por causa de uma posição errada do braço, eu tivera uma dolorosa inflamação muscular.

E onde está o fascínio de tudo isso? Não existe nada de prático no tiro ao alvo com arco e flecha, armas que remontam a trinta mil anos antes de Cristo. Mas Herrigel, que me despertou a paixão, sabia do que estava falando. A seguir, trechos de *A arte cavalheiresca do arqueiro zen* (que podem ser aplicados a várias atividades da vida diária):

"Na hora de manter a tensão, ela deve ser concentrada apenas naquilo que você precisa usar; de resto, economize suas energias, aprenda (com o arco) que para se atingir algo não é necessário fazer um movimento gigantesco, mas focalizar o seu objetivo.

O meu mestre me deu um arco muito rígido. Perguntei por que estava começando a me ensinar como se eu já fosse um profissional. Ele respondeu: 'aquele que começa com coisas fáceis fica despreparado para os grandes desafios. Melhor saber logo que tipo de dificuldade irá encontrar no caminho.

Durante muito tempo eu atirava sem conseguir abrir direito o arco, até que um dia o mestre me ensinou um exercício de respiração, e tudo ficou fácil. Perguntei por que demorara tanto para me corrigir. Ele respondeu: 'Se desde o início eu tivesse lhe ensinado os exercícios respiratórios, você acharia que eram desnecessários. Agora você irá acreditar naquilo que eu lhe digo, e irá praticar como se fosse realmente importante. Quem sabe educar age assim'.

O momento de soltar a flecha acontece de maneira instintiva, mas antes é preciso conhecer bem o arco, a flecha e o alvo. O golpe perfeito nos desafios da vida também usa a intuição; entretanto, só podemos esquecer a técnica depois que a dominamos completamente.

Depois de quatro anos, quando já era capaz de dominar o arco, o mestre me deu os parabéns. Eu fiquei contente, e disse que já tinha chegado à metade do caminho. 'Não', respondeu o mestre. 'Para não cair em armadilhas traiçoeiras, é melhor considerar como metade do caminho o ponto que você atinge depois de percorrer noventa por cento da estrada.'"

ATENÇÃO! O uso do arco e flecha é perigoso; em alguns países (como a França), é classificado como arma, só pode ser praticado depois de recebida habilitação, e apenas em lugares expressamente autorizados.

O católico e o muçulmano

Eu conversava com um sacerdote católico e um rapaz muçulmano durante um almoço. Quando o garçom passava com uma bandeja, todos se serviam, menos o muçulmano, que fazia o jejum anual prescrito no Alcorão.

Quando o almoço terminou e as pessoas saíram, um dos convidados não deixou de alfinetar:

— Veja como os muçulmanos são fanáticos! Ainda bem que vocês não têm nada em comum com eles.

— Temos sim — disse o padre.

— Ele tenta servir a Deus tanto quanto eu. Apenas seguimos leis diferentes.

E concluiu: — Pena que as pessoas só vejam as diferenças que as separam. Se olhassem com mais amor, enxergariam principalmente o que há de comum entre elas — e metade dos problemas do mundo seriam resolvidos.

A Lei de Jante

— O que você acha da princesa Martha-Louise?

O jornalista norueguês me entrevistava à beira do lago de Genebra. Geralmente me recuso a responder a perguntas que fogem ao contexto do meu trabalho, mas nesse caso sua curiosidade tinha um motivo: a princesa, no vestido que usara ao fazer trinta anos, mandara bordar o nome de várias pessoas que tinham sido importantes em sua vida — e entre esses nomes estava o meu (minha mulher achou a ideia tão boa que resolveu fazer a mesma coisa em seu aniversário de cinquenta anos, colocando o crédito "inspirado pela princesa da Noruega" em um dos cantos da sua roupa).

— Acho uma pessoa sensível, delicada, inteligente — respondi. — Tive oportunidade de conhecê-la em Oslo, quando me apresentou a seu marido, escritor como eu.

Parei um pouco, mas precisava ir adiante:

— E existe uma coisa que eu realmente não entendo: por que a imprensa norueguesa passou a atacar o trabalho literário do seu marido depois que ele se casou com a princesa? Antes as críticas eram positivas.

Não era propriamente uma pergunta, mas uma provocação, pois eu já imaginava a resposta: a crítica mudou porque as pessoas sentem inveja, o mais amargo dos sentimentos humanos.

O jornalista, entretanto, foi mais sofisticado do que isso:

— Porque ele transgrediu a Lei de Jante.

É evidente que eu jamais ouvira falar disso, e ele me explicou o que era. Continuando a viagem, percebi que em todos os países da Escandinávia é difícil encontrar alguém que não conheça essa lei. Embora ela já exista desde o início da civilização, foi enunciada oficialmente apenas em 1933 pelo escritor Aksel Sandemose na novela *Um refugiado ultrapassa seus limites*.

A triste constatação é que a Lei de Jante não se limita à Escandinávia: ela é uma regra aplicada em todos os países, embora os brasileiros digam "Isso só acontece aqui", ou os franceses afirmem "Em nosso país, infelizmente é assim". Como o leitor já deve estar irritado porque leu mais da metade da coluna sem saber exatamente do que trata a Lei de Jante, vou tentar resumi-la aqui, com minhas próprias palavras:

"Você não vale nada, ninguém está interessado no que você pensa, a mediocridade e o anonimato são a melhor escolha. Se agir assim, você jamais terá grandes problemas em sua vida."

A Lei de Jante enfoca, em seu contexto, o sentimento de ciúme e inveja que às vezes dá muita dor de cabeça a pessoas como Ari Behn, o marido da princesa Martha-Louise. Este é um dos seus aspectos negativos, mas existe algo muito mais perigoso.

É graças a ela que o mundo tem sido manipulado de

todas as maneiras, por gente que não teme o comentário dos outros, e termina fazendo o mal que deseja. Acabamos de assistir a uma guerra inútil no Iraque, que continua custando muitas vidas; vemos um grande abismo entre os países ricos e os países pobres, injustiça social por todos os lados, violência descontrolada, pessoas que são obrigadas a renunciar aos seus sonhos por causa de ataques injustos e covardes. Antes de iniciar a Segunda Guerra Mundial, Hitler deu vários sinais de suas intenções, e o que o fez ir adiante foi saber que ninguém ousaria desafiá-lo por causa da Lei de Jante.

A mediocridade pode ser confortável, até que um dia a tragédia bate à porta, e então as pessoas se perguntam: "Mas por que ninguém disse nada, quando todo mundo estava vendo que isso ia acontecer?".

Simples: ninguém disse nada porque elas também não disseram nada.

Portanto, para evitar que as coisas fiquem cada vez piores, talvez fosse o momento de escrever a Antilei de Jante:

"Você vale muito mais do que pensa. Seu trabalho e sua presença nesta Terra são importantes, mesmo que você não acredite. Claro que, pensando assim, você poderá ter muitos problemas por estar transgredindo a Lei de Jante — mas não se deixe intimidar por eles: continue vivendo sem medo, e irá vencer no final."

A velha em Copacabana

Ela estava no calçadão da avenida Atlântica, com um violão, e uma placa escrita à mão: "Vamos cantar juntos".

Começou a tocar sozinha. Depois chegou um bêbado, uma outra velhinha, e começaram a cantar com ela. Dali a pouco uma pequena multidão cantava, e outra pequena multidão servia de plateia, batendo palmas no final de cada número.

— Por que faz isso? — perguntei, entre uma música e outra.

— Para não ficar sozinha — disse ela. — Minha vida é muito solitária, como a vida de quase todos os velhos.

Oxalá todos resolvessem seus problemas dessa maneira.

Permanecendo abertos ao amor

Existem momentos em que gostaríamos muito de ajudar a quem amamos, mas não podemos fazer nada. Ou as circunstâncias não permitem que nos aproximemos, ou a pessoa está fechada para qualquer gesto de solidariedade e apoio.

Então, nos resta apenas o amor. Nos momentos em que tudo é inútil, ainda podemos amar — sem esperar recompensas, mudanças, agradecimentos.

Se conseguirmos agir dessa maneira, a energia do amor começará a transformar o universo à nossa volta. Quando essa energia aparece, sempre consegue realizar o seu trabalho.

"O tempo não transforma o homem. O poder da vontade não transforma o homem. O amor transforma", diz Henry Drummond.

Li no jornal sobre uma criança, em Brasília, que foi brutalmente espancada pelos pais. Como resultado, perdeu os movimentos do corpo e ficou sem fala.

Internada no Hospital de Base, ela foi cuidada por uma enfermeira que lhe dizia diariamente: "Eu te amo". Embora os médicos garantissem que não conseguia escutá-la, e que seus esforços eram inúteis, a enfermeira continuava a repetir: "Eu te amo, não esqueça". Três semanas depois, a criança havia recuperado os movimentos. Quatro semanas depois, voltava a falar e sorrir. A enfermeira nunca deu entrevistas, e o jornal não publicava seu nome — mas fica aqui o registro, para que não esqueçamos nunca: o amor cura.

O amor transforma, o amor cura. Mas, às vezes, o amor constrói armadilhas mortais, e termina destruindo a pessoa que resolveu entregar-se por completo. Que sentimento complexo é esse que — no fundo — é a única razão para continuarmos vivos, lutando, procurando melhorar?

Seria uma irresponsabilidade tentar defini-lo, porque, como todo o resto dos seres humanos, eu apenas consigo senti-lo. Milhares de livros são escritos, peças teatrais encenadas, filmes produzidos, poesias criadas, esculturas talhadas na madeira ou no mármore, e, mesmo assim, tudo que o artista pode passar é a ideia de um sentimento — não o sentimento em si.

Mas eu aprendi que esse sentimento está presente nas pequenas coisas, e se manifesta na mais insignificante das atitudes que tomamos; portanto, é preciso ter o amor sempre em mente, quando agimos ou quando deixamos de agir.

Pegar o telefone e dizer a palavra de carinho que adiamos. Abrir a porta e deixar entrar quem precisa de nossa ajuda. Aceitar um emprego. Abandonar um emprego. Tomar a decisão que estávamos deixando para depois. Pedir perdão por um erro que cometemos e que não nos deixa em paz. Exigir um direito que temos. Abrir uma conta no florista, que é mais importante do que o joalheiro. Colocar a música bem alto quando a pessoa amada estiver longe, abaixar o volume quando ela estiver perto. Saber dizer "sim" e "não", porque o amor lida com todas as energias do homem. Descobrir um esporte que possa ser praticado a dois. Não seguir nenhuma receita, nem mesmo as que estão neste parágrafo — porque o amor precisa de criatividade.

E quando nada disso for possível, quando o que restar for apenas a solidão, então se lembrar de uma história que um leitor me enviou certa vez:

"Uma rosa sonhava dia e noite com a companhia das abelhas, mas nenhuma vinha pousar em suas pétalas.

A flor, entretanto, continuava a sonhar: durante suas longas noites, imaginava um céu onde voavam muitas abelhas, que vinham carinhosamente beijá-la. Dessa maneira, conseguia resistir até o próximo dia, quando tornava a se abrir com a luz do sol.

Certa noite, conhecendo a solidão da rosa, a lua perguntou:

— Você não está cansada de esperar?

— Talvez. Mas preciso continuar lutando.

— Por quê?

— Porque, se eu não me abrir, eu murcho.

Nos momentos em que a solidão parece esmagar toda a beleza, a única maneira de resistir é continuarmos abertos."

Acreditando no impossível

William Blake diz em um de seus textos: "Tudo aquilo que hoje é uma realidade antes era apenas parte de um sonho impossível". E por causa disso temos hoje o avião, os voos espaciais, o computador em que neste momento escrevo a coluna etc. Na famosa obra-prima de Lewis Carroll *Através do espelho e o que Alice encontrou lá*, há um diálogo entre o personagem principal e a rainha — que acabara de contar algo extraordinário:

— Não posso acreditar — diz Alice.

— Não pode? — a rainha repete com um ar triste. — Tente de novo: respire fundo, feche seus olhos e acredite.

Alice ri:

— Não adianta tentar. Só tolos acham que coisas impossíveis podem acontecer.

— Acho que o que lhe está faltando é um pouco de prática — responde a rainha. — Quando eu tinha sua idade, treinava pelo menos meia hora por dia: logo depois do café da manhã, fazia o possível para imaginar cinco ou seis coisas inacreditáveis que poderiam cruzar meu caminho, e hoje vejo que a maior parte das coisas que imaginei se tornou realidade. Inclusive, eu me tornei rainha por causa disso.

A vida nos pede constantemente: "Acredite!". Acreditar que um milagre pode acontecer a qualquer momento é necessário para nossa alegria, mas também para nossa proteção, ou para justificar a nossa existência. No mundo de hoje, muita gente julga impossível acabar com a miséria, ter uma sociedade justa, diminuir a tensão religiosa que parece crescer a cada dia.

A maior parte das pessoas evita a luta sob os mais diversos pretextos: conformismo, maturidade, senso de ridículo, sensação de impotência. Vemos a injustiça sendo feita a nosso próximo, e ficamos calados. "Não vou me meter à toa em brigas" é a explicação.

Isso é uma atitude covarde. Quem percorre um caminho espiritual carrega consigo um código de honra a ser cumprido; a voz que clama contra o que está errado é sempre ouvida por Deus.

Mesmo assim, de vez em quando, escutamos o seguinte comentário: "Vivo acreditando em sonhos, muitas vezes procuro combater a injustiça, mas sempre termino me decepcionando".

Um Guerreiro da Luz sabe que certas batalhas impossíveis merecem ser lutadas, e por isso não tem medo de decepções — já que conhece o poder de sua espada e a força do seu amor. Ele rejeita com veemência aqueles que são incapazes de tomar decisões e estão sempre procurando transferir para os outros a responsabilidade de tudo de ruim que acontece no mundo.

Se ele não lutar contra o que está errado — mesmo que pareça acima de suas forças —, jamais encontrará o caminho certo.

Meu editor iraniano, Arash Hejasi, me enviou uma vez um texto que dizia:

> Hoje uma grande chuva me pegou de surpresa, enquanto eu caminhava pela rua... Graças a Deus eu tinha meu guarda-chuva e minha capa. No entanto, ambos estavam na mala de meu carro, estacionado bem longe. Enquanto eu corria para pegá-los, pensava no estranho sinal que estava recebendo de Deus: temos sempre os recursos necessários para enfrentar as tempestades que a vida nos prepara, mas na maior parte das vezes esses recursos estão trancados no fundo de nosso coração, e isso nos faz perder um tempo enorme tentando achá-los. Quando os encontramos, já fomos derrotados pela adversidade.

Estejamos, portanto, sempre preparados: caso contrário, ou perdemos a chance, ou perdemos a batalha.

A tempestade se aproxima

Sei que vem uma tempestade porque posso olhar a distância, ver o que está acontecendo no horizonte. Claro, a luz ajuda um pouco — é o final do entardecer, o que reforça o contorno das nuvens. Vejo também o clarão dos raios.

Nenhum ruído. O vento não está soprando nem mais forte, nem mais fraco do que antes. Mas sei que vem uma tempestade porque costumo olhar o horizonte.

Paro de caminhar — nada mais excitante ou aterrorizante do que olhar uma tempestade que se aproxima. O primeiro pensamento que me ocorre é procurar abrigo — mas isso pode ser perigoso. O abrigo pode ser uma espécie de armadilha — daqui a pouco o vento começará a soprar, e deve ser forte o suficiente para arrancar telhados, quebrar galhos, destruir fios de alta tensão.

Lembro-me de um velho amigo, que, quando criança, vivia na Normandia e pôde presenciar o desembarque das tropas aliadas na França ocupada pelos nazistas. Não me esqueço de suas palavras: "Acordei, e o horizonte estava repleto de navios de guerra. Na praia ao lado de minha casa, os soldados alemães contemplavam a mesma cena que eu. Mas a coisa que mais me aterrorizava era o silêncio. Um silêncio total, que precede um combate de vida ou morte".

É esse mesmo silêncio que me cerca. E que pouco a pouco é substituído pelo barulho — muito suave — da brisa nos campos de milho à minha volta. A pressão atmosférica está mudando. A tempestade está cada vez mais próxima, e o silêncio começa a ser substituído pelo farfalhar suave das folhas.

Já presenciei muitas tempestades em minha vida. A maior parte das tormentas me pegou de surpresa, de modo que precisei aprender — e muito rápido — a olhar mais longe, a entender que não sou capaz de controlar o tempo, a exercitar a arte da paciência e a respeitar a fúria da natureza. Nem sempre as coisas acontecem do jeito que eu desejava, e é melhor me acostumar com isso.

Muitos anos atrás, compus uma música que dizia "Eu perdi o meu medo da chuva/ pois a chuva, voltando para a terra, traz coisas do ar". Melhor dominar o medo. Ser digno daquilo que escrevi, e entender que, por pior que seja o vendaval, em algum momento ele passará.

O vento aumentou de velocidade. Estou em um campo aberto, existem árvores no horizonte que, pelo menos teoricamente, irão atrair os raios. Minha pele é impermeável, mesmo que as minhas roupas fiquem encharcadas. Portanto, melhor desfrutar desta visão, ao invés de sair correndo em busca de segurança.

Outra meia hora se passa. Meu avô, engenheiro, gostava de me ensinar as leis da física enquanto nos divertíamos: "Depois de ver o raio, conte os segundos e multiplique por trezentos e quarenta metros, que é a velocidade do som. Assim, você sempre saberá a distância dos trovões". Um pouco complicado, mas me acostumei a fazer isso desde criança: neste momento a tempestade está a dois quilômetros de distância.

Ainda há claridade suficiente para que eu possa ver o contorno das nuvens que os pilotos de avião chamam de CB — *cúmulus nimbus*. O formato de bigorna, como se um ferreiro estivesse martelando os céus, forjando espadas para deuses enfurecidos, que neste momento devem estar sobre a cidade de Tarbes.

Vejo a tempestade que se aproxima. Como toda e qualquer tempestade, ela traz destruição — mas ao mesmo tempo molha os campos, e a sabedoria do céu desce junto com a sua chuva. Como toda e qualquer tempestade, ela deve passar. Quanto mais violenta, mais rápida.

Graças a Deus, aprendi a enfrentar tempestades.

E terminamos este livro com preces...

Dhammapada (atribuída a Buda)
Melhor que, ao invés de mil palavras,
Houvesse apenas uma, mas que trouxesse a Paz.
Melhor que, ao invés de mil versos,
Houvesse apenas um, mas que mostrasse o Belo.
Melhor que, ao invés de mil canções,
Houvesse apenas uma, mas que espalhasse a Alegria.

Mevlana Jelaluddin Rumi, século XIII
Lá fora, além do que está certo e do que está errado,
existe um campo imenso.
Nos encontraremos ali.

Profeta Mohammed, século VII
Ó Alá! Eu te consulto porque sabes tudo, e conheces mesmo aquilo que está escondido.
Se o que estou fazendo é bom para mim e para minha religião, para minha vida agora e depois, então que a tarefa seja fácil e abençoada.
Se o que estou fazendo agora é mau para mim e para minha religião, para minha vida agora e depois, mantenha-me longe desta tarefa.

Jesus de Nazaré, Mateus 7,7-8

Pede, e receberás.

Procure, e encontrarás. Bata, e a porta se abrirá.

Porque quem pede recebe; quem procura acha; a quem bate, a porta se abre.

Prece judaica para a Paz

Vamos à montanha do Senhor, onde poderemos caminhar com Ele. Transformemos nossas espadas em arados, e nossas lanças em coletores de frutos.

Que nenhuma nação levante sua espada contra outra, e que jamais aprendamos a arte da guerra.

E ninguém deve temer o seu vizinho, porque assim disse o Senhor.

Lao Zi, China, século VI a.C.

Para haver paz no mundo, é necessário que as nações vivam em paz.

Para haver paz entre as nações, as cidades não devem se levantar umas contra as outras.

Para haver paz nas cidades, os vizinhos precisam se entender.

Para haver paz entre os vizinhos, é preciso que reine harmonia no lar.

Para haver paz em casa, é preciso encontrá-la em seu próprio coração.

TIPOGRAFIA Adriane por Marconi Lima
DIAGRAMAÇÃO Osmane Garcia Filho
PAPEL Pólen Soft, Suzano S.A.
IMPRESSÃO Geográfica, julho de 2021

A marca FSC® é a garantia de que a madeira utilizada na fabricação do papel deste livro provém de florestas que foram gerenciadas de maneira ambientalmente correta, socialmente justa e economicamente viável, além de outras fontes de origem controlada.